マッコウクジラは体を垂直にして
眠ることが最近分かった。
クジラの生態は知られていないことが多い。
（写真：日経ナショナルジオグラフィック社）

調査捕鯨で捕獲したクロミンククジラ。

氷の海を進む日本の調査捕鯨船団。

荒れる南極海。夏の終わりは毎日のように時化（しけ）が続く。

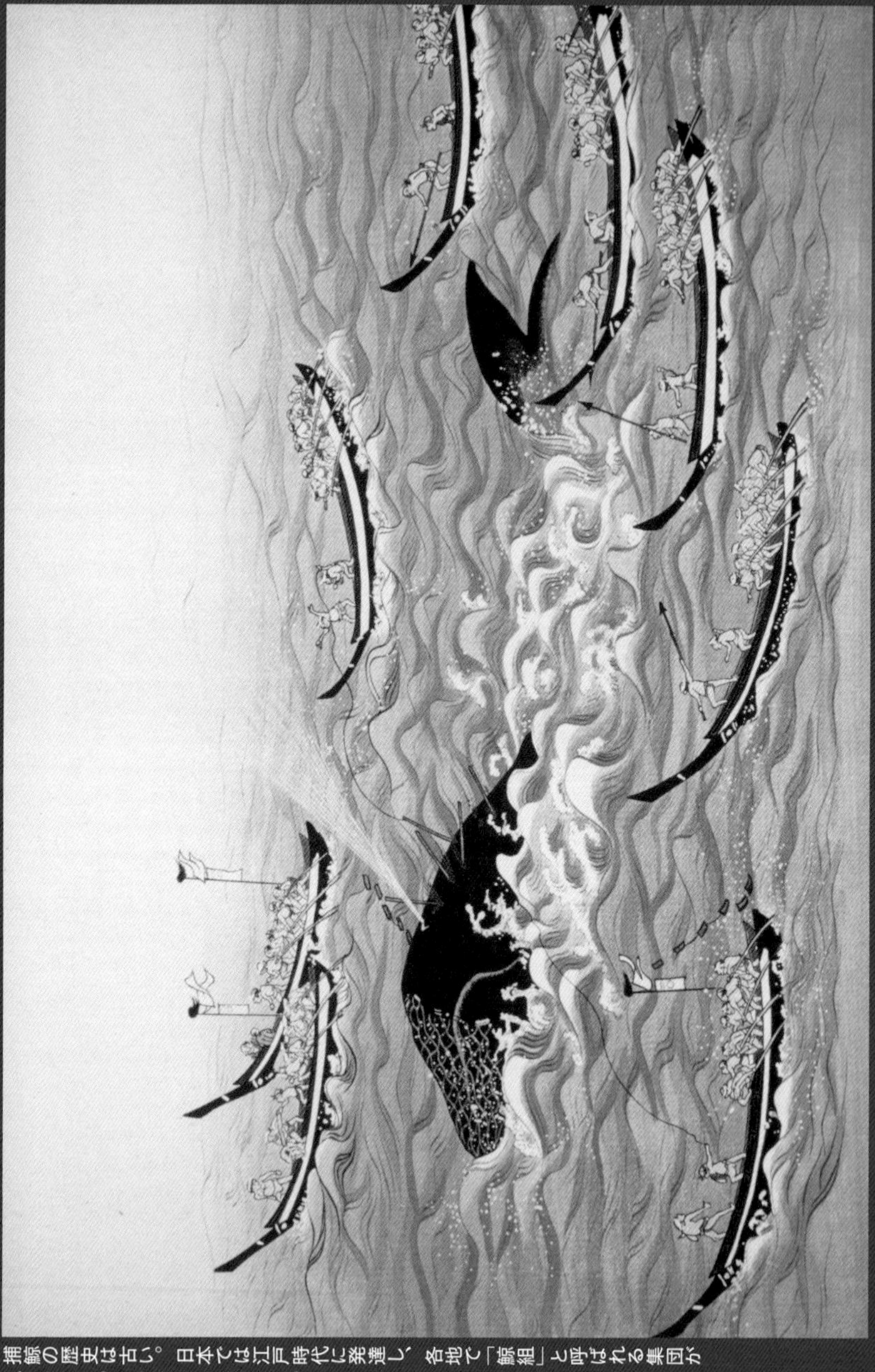

捕鯨の歴史は古い。日本では江戸時代に発達し、各地で「鯨組」と呼ばれる集団が漁をおこなっていた（小川島捕鯨絵巻）。

クジラをめぐる冒険
ナゾだらけの生態から対立する捕鯨問題まで
石川創
旬報社

［もくじ］

第2章 南極海にクジラの調査へ！

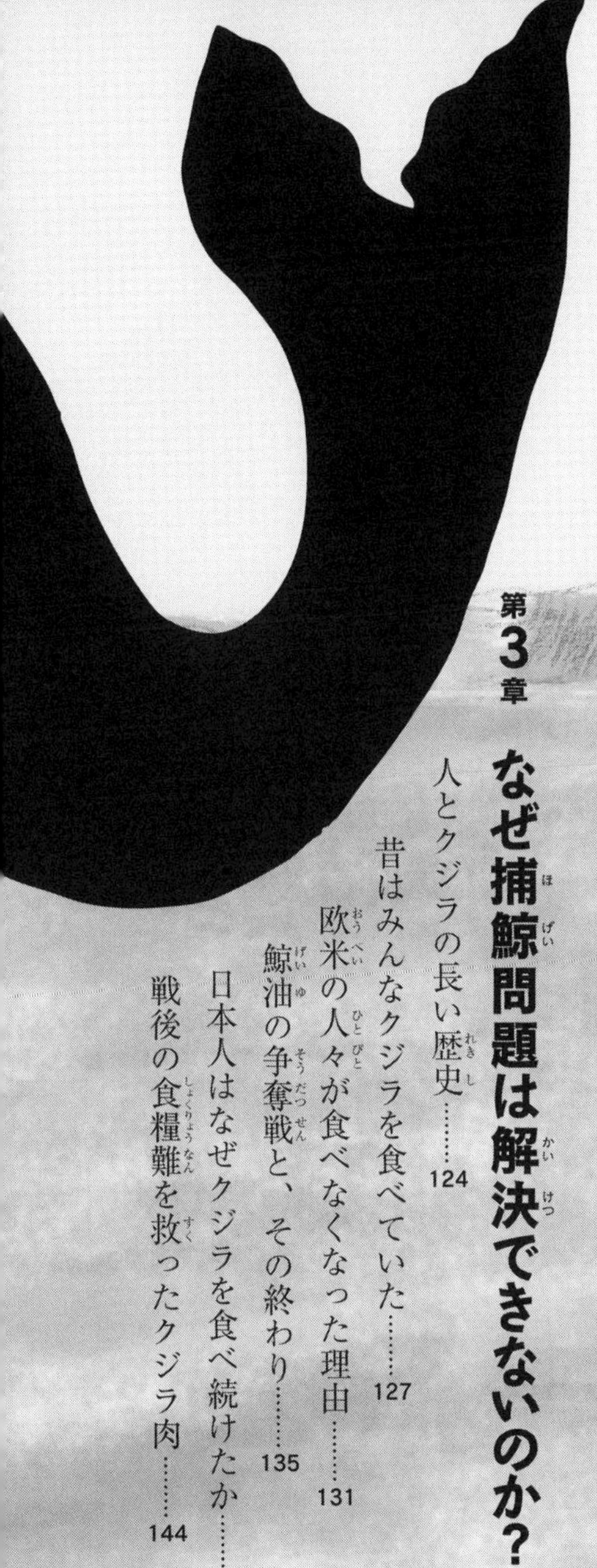

第3章 なぜ捕鯨問題は解決できないのか？

おわりに ――第2章の続きとして――

はじめに

みなさんはクジラと聞いて、どんな動物を想像するでしょうか。豪快なジャンプをするザトウクジラか、深海で巨大なダイオウイカと格闘するマッコウクジラか、あるいは世界最大の生物であるシロナガスクジラでしょうか。クジラについて少し詳しい人ならば、水族館でも見ることのあるシャチやバンドウイルカも、クジラの仲間だということを知っているかもしれません。いずれにせよ、思い浮かべる姿はテレビやインターネットでおなじみの、広大な海洋を旅する美しく大きな野生動物の姿が一番で、次に水族館で華麗なパフォーマンスを見せてくれる動物たちでしょう。

一方で、みなさんのお父さん・お母さん、いや、もうすでにおじいさん・おばあさんの世代になるかもしれませんが、違う答え方をするかもしれません。

生まれ育った地域によっても違いはありますが、クジラと聞けば、「毎日のように食べたものだ」とか、「給食で肉といえば鯨だった」とか、「毎日自分の父さんが晩酌(夕食時のお酒)しながら鯨ベーコンを食べていた」などという人たちもいるはずです。

つまり、彼らはクジラを「生き物」としてよりは、「食べ物」としてまず記憶しているわけです。

日本人は、江戸時代の頃から、新しい令和の時代になった現在もなお捕鯨をおこない、クジラを食料としてきました。それだけでなく、昭和の時代までは薬品や機械油、工業製品の原料などさまざまな資源としても利用してきました。

商業的な捕鯨産業としてではなく、単にクジラを捕って利用した、ということだけを考えれば、その歴史はなんと縄文時代までさかのぼることができます。

大型のクジラの商業的な捕鯨は、日本では昭和の終わり(1988年)から、世界の捕鯨を管理する国際捕鯨委員会(IWC)の取り決めによって停止したままでしたが、令和の時代になった2019年、日本はこのIWCを脱退して、近海で商業捕鯨を再開することを決めました。

でも、ほかの国、とくにヨーロッパの多くの国々や、オーストラリアなどは捕鯨に強く反対しています。

一方で、同じヨーロッパでも、ノルウェーやアイスランドといった国々は、日本と同じようにクジラを捕って食べています。

クジラを捕る国と捕らない国は、クジラについてそれぞれどう考えているのでしょうか? そもそもクジラとはどんな動物で、人間との関りにはどんな歴史があるのでしょうか?

この本では、大きく3つのことがらを皆さんに伝えようと思います。

1つは、野生動物としてのクジラの話。クジラがどんな生き物で、どんな暮らしをしているかということです。

もう1つは、大学時代からクジラに関わり、南極海での調査に関わった私自身の話です。

そして最後は、人とクジラの関わりと、現在もまだクジラを利用する国と利用しない国のそれぞれの立場と、捕鯨に対する考え方をお話しします。

この本を読んで、みなさんがクジラや捕鯨について関心を高めてくれればとてもうれしく思います。

第1章
クジラはどんな生き物か？

「クジラ」という生き物は一種ではない

「クジラってどんな生き物ですか？」と聞かれたら、私は「海の野生動物です」と言うか、「海のほ乳類です」と答えます。そしてもう1つ付け加えるならば、「たくさん種類がいます」とも言うでしょう。

意外に忘れがちなのですが、世界に「クジラ」という生き物が1種類存在するわけではないからです。

当たり前のことのように聞こえますが、動物を生物学的に考えるときに、これはけっこう重要です。

たとえば「サル」と聞くと、私たち日本人は近所の野山に出没するニホンザルを思い浮かべます（北海道と沖縄にはいませんけど）。

けれどもサルの仲間は、動物園に行けばテナガザルとか、ワオキツネザルとか、マンドリルとかたくさんいます。「サル」を動物分類上の「霊長類（霊長目）」まで含めれば、ゴリラやオランウータン、私たち人間もまた「サル」の仲間で、すべて合わせれば現在200種以上が知られています。

同じようにクジラも、動物分類上は「鯨類（クジラ目）」に属する生物で、現在90種類近くが知られています。はっきりと「何種類」と言えないのは、クジラに限らず生物の分類は、研究機関や学会などによってそれぞれ主張が異なるからです。ただ、クジラを管理する国際捕鯨委員会（IWC）の科学委員会は、2019年7月時点で86種類のクジラを分類しているので、とりあえずこの本ではこの分類に従うことにしましょう。

この86種類のクジラたちは、大きく2つのグループに分けられます。

それは口の中に歯がある「ハクジラ」の仲間と、口の中に歯はないけれど、上

クジラの分類

ヒゲクジラの仲間（72種類）

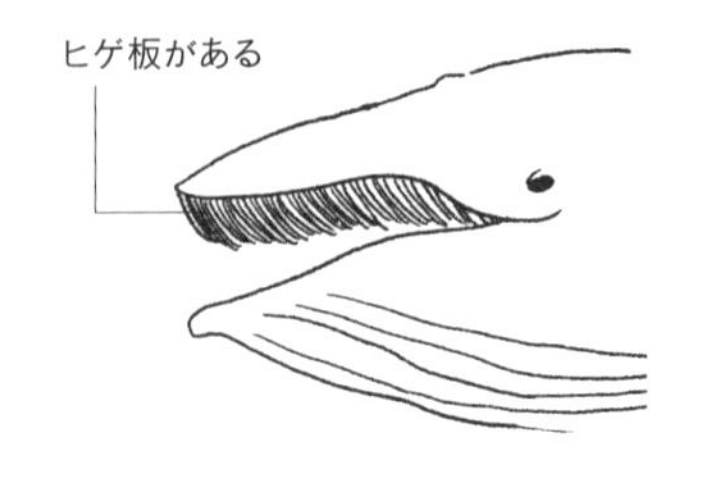

シロナガスクジラ

ナガスクジラ

ザトウクジラ

ミンククジラ

ハクジラの仲間（14種類）

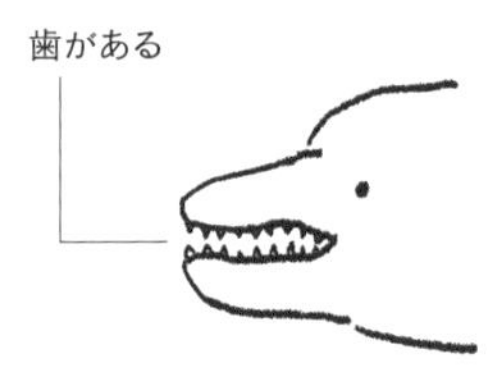

マッコウクジラ

ツチクジラ

シャチ

バンドウイルカ　イシイルカ

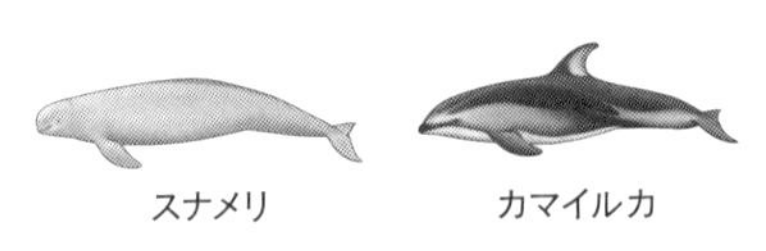
スナメリ　カマイルカ

あごの両側に数百枚のヒゲ板（クジラヒゲとも言う）が生えている「ヒゲクジラ」の仲間です。

最大のクジラ、シロナガスクジラ

「ヒゲクジラ」の仲間は、シロナガスクジラやナガスクジラ、ザトウクジラなど、どちらかと言えばみなさんが「クジラ」と聞いて想像するクジラが多いと思います。

上あごのヒゲ板は、大量のエサをこしとるために使われるのですが、その話はあとにしましょう。

シロナガスクジラはすべてのクジラの中で1番大きなクジラです。

どれくらい大きいかというと、これまでに記録があるシロナガスクジラの中で

体長は最大33メートル。シロナガスクジラは地球史上最大の生物。

最大の体長は33メートルで、体重は150トン（1トンは1000キログラム）とも200トンとも言われています。

体長がはっきりしているのに、体重に大きな幅があるのは、あまりに大きすぎて、21世紀の現在まで誰もこのクジラを1頭丸ごと体重計にのせたことがないからです。

もっとも、クジラの仲間は1日に体重のおよそ4パーセント分ものエサを食べると言われています。

この計算だと、シロナガスクジラは食前と食後でトラック2台分（6トン～8トン）も体重が変わるわけで、あまり正確な体重にこだわることもないかもしれません。

さて、シロナガスクジラがクジラの仲間の中で最大ということは、地球上で最大の生物ということにもなるのですが、じつはそれだけではありません。

このクジラは、地球が宇宙に誕生して以来、この星で生まれてきたすべての生物で最大、すなわち地球史上最大の生物でもあるともいえます。

ただ、これを言うと、生き物好きなみなさんの中から「いや、それは違うでしょ！」という声が上がるかもしれません。遠い昔、2億年以上前に、全長33メートルを超える巨大な生物が地球を歩いていたという話です。

そう、今では博物館の標本でしか目にすることのできない、恐竜と呼ばれる巨大生物です。

中でも、セイスモサウルスやブラキオサウルスといった竜脚類は、頭の先から尻尾の先までの長さは35メートルに達しています。

恐竜よりクジラのほうが大きい理由

では、やはり恐竜が地球史上最大なのでは？　と思いたくなるのですが、じつ

海で暮らすクジラのほうが、陸で暮らす恐竜よりも巨大化できた。

はここでも体重が問題となります。

全長35メートルのセイスモサウルスの体重は（当然ながらこちらも体重計にのせられたことはありません）、博物館の学芸員の先生に聞いてみたところ、「およそ60トンと考えられています」とのお話でした。

なんと、シロナガスクジラの2分の1から3分の1くらいの重さしかありません。

なぜこれほど体重に差がついたかというと、恐竜が陸で進化して巨大化したのに対し、クジラは海で進化して巨大化した生物だからだと考えられます。

陸で体が巨大化するということは、地球の重力に逆らって自分の4本の足で重たい体を支え、歩いたり走ったりしなければならないということです。体を大きくさせた進化の過程で、どんなに足の骨を太くしても、丈夫な筋肉を発達させても、体長35メートルのセイスモサウルスにとって、60トンという体重が地球の陸上の生物として体を支えられる限界だったということなのでしょう。

ところがシロナガスクジラは違いました。

海の中で巨大化したシロナガスクジラは、水の浮力のおかげでセイスモサウルスのように重力の制約を受けず、自分の体重を自分で支える必要がありません。このため、シロナガスクジラは海の生産する栄養豊富なエサを食べたいだけ食べて、際限なく大きくなったというわけです。太りすぎてもダイエットをする必要がなかったということですね。

地球史上最大の生物シロナガスクジラは、生き物好きならば一度は見てみたい

国立科学博物館（東京）のシロナガスクジラの実物大模型。

ものです。

私は幸いなことに、南極海の調査捕鯨で何度もこのクジラを見る機会がありましたが、それでも船の上から見ることができるのは、海面上に現れる巨大な体のごく一部です。

東京・上野にある国立科学博物館には、シロナガスクジラの実物大の模型が展示してあります。

その姿を見上げると、「こんなにも大きな生き物が本当に海を泳いでいるのか！」と、なかなか感動すること間違いありません。

ハクジラ類で最大のマッコウクジラ

先ほどはヒゲクジラ類の王様であるシロナガスクジラの話をしましたので、次はハクジラの仲間で一番大きなマッコウクジラの話をしましょう。

マッコウクジラといえば、巨大な白いマッコウクジラと、それを捕鯨船で追い求めるクジラ捕りを描いた、『白鯨』（ハーマン・メルヴィル作）という19世紀に書かれた有名なアメリカの小説があります。何回か映画にもなっているので、みなさんも知っているかもしれません。

マッコウクジラは、母親とその子どもたちを中心とした群れで行動しますが、オスは成長すると家族の群れを離れて、最終的には独りで行動するようになり、体の大きさもメスに比べるとずっと大きくなります。

19世紀のアメリカのクジラ捕りたちは、マッコウクジラを求めて世界の海を航

マッコウクジラの体長は約15～18メートル（オス）。ハクジラの仲間では最大。

海しましたが、手こぎのボートから手でモリを投げて捕獲していた当時の捕鯨方法では、クジラが反撃してボートを沈めてしまうこともしばしばあり、人間とクジラの戦いも命がけでした。『白鯨』はそんな時代のお話です。

さて、マッコウクジラは、ほかのクジラと比べると巨大な箱のような頭部を持っているのが大きな特徴です。

なぜそんな大きな頭を持っているのかというと、この中に「脳油」と呼ばれる特殊な油がつまった袋があるからです。

あとからの話にも出てきますが、クジラは、かつて皮下脂肪から得られる「鯨油」が非常に貴重な資源だったために、多くの国々で捕鯨がおこなわれましたた。

マッコウクジラは、通常の鯨油のみならず、頭部から得られる脳油がとりわけすぐれた潤滑油になったために、

19世紀から20世紀の後半までたくさん捕獲されたのです。

なぜマッコウクジラだけにこの脳油があるのかは、未だによくわかっていません。

じつは最近まで、この脳油を潜水と浮上のときの重しに使っているのだという説が有力でした。

マッコウクジラは、クジラの仲間の中でも大潜水をするクジラとして知られており、大人のマッコククジラだと、2000メートル以上の深さまで1時間半潜るといわれています。脳油は温度によって固まったり軟らかくなったりする性質があるので、マッコウクジラは潜るときには鼻から冷たい海水を入れて脳油をぎゅっと固め、浮かびたいときには自分の血液で温めて軟らかくして（比重を変えて）浮力を調整するというのです。

けれどもこの説にはほかの科学者からの反論も多く、現在では本当に正しいの

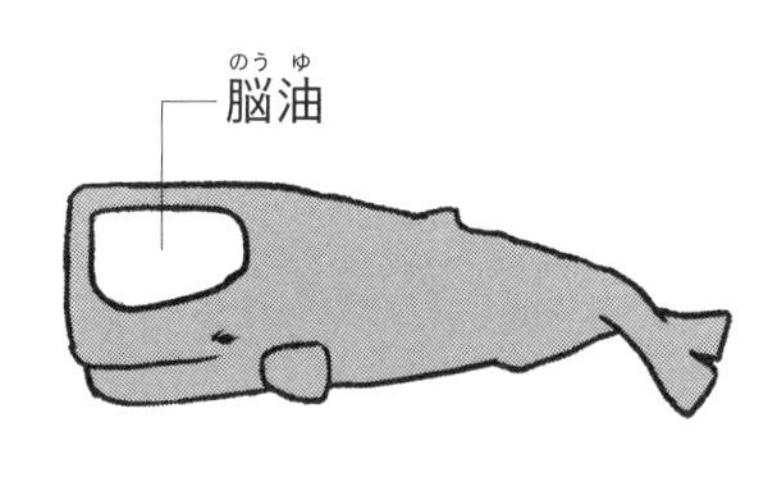

マッコウクジラの頭には「脳油」がつまっている。

かどうかわかりません。

また、マッコウクジラは、大きな音（声）を出して、水中で周囲の様子を探ったり仲間と交信したりしています。

マッコウクジラの脳油は、光を集めるレンズのように、音を集めて前方に発射する役割を持っているのだとも考えられています。彼らはイカが大好物なので、深海で暮らす巨大なダイオウイカを食べることもあります。マッコウクジラが自分の大きさとさほど変わらないダイオウイカを捕まえられるのは、この「脳油レンズ」効果で巨大な音を発生してイカを気絶させるからだ、という説もあるのですが、こちらも反論があるようで、本当のところは未だ不明です。

21世紀の現在になっても、クジラのことはわからないことだらけです。それゆえにクジラを研究する科学者たちは、クジラに対してたまらない魅力を感じているのです。

以前にクジラの会議で、外国の有名なマッコウクジラの研究者とお話をする機会がありました。私はかねてから疑問だった「マッコウクジラが音でダイオウイカを気絶させるという話は本当ですか？」と質問をしてみました。でもね、僕はその〝マッコウ先生〟は、しばらく思案したあとに、「証拠はない。その説を信じているよ」と答えてくれました。

そのとき私は、ああ、この先生は本当にマッコウクジラが好きなのだな、と感じました。

誰もが納得できる証拠がない学説を「正しい」と人に伝えることは、科学者としてできない。けれども、自分が長年研究してきたマッコウクジラには、きっとそれだけの能力があるに違いないという信念を、先生は持っていたのです。

クジラとイルカは何が違う？

クジラもイルカも海にすむ野生動物です。何が違うのでしょうか？

簡単に言えば「イルカはクジラの仲間です」となります。もう少し付け加えると、「ハクジラの仲間で体の小さい種類を、なんとなくイルカと呼んでいます」となります。

いい加減な答えに聞こえるかもしれませんが、じつはこの「なんとなく」の部分がとても大事で、そもそも「イルカ」とは生物学的な分類ではなく、もともといい加減な呼び方なのです。

クジラに関して書かれた本を読むと、「体長が4メートルより小さいクジラをイルカと呼ぶ」と説明されているものがけっこうあります。

でも、じつはそんな決まりはありません。生物の種名を学術的に正しい日本語で呼ぶとき、「標準和名」という名前を用います。たとえばこの本の最初にサルの話が出てきましたが、日本のサルは「ニホンザル」という標準和名があります。「シロナガスクジラ」も「マッコウクジラ」も標準和名です。

しかし、86種類いるとされるクジラのうち、4メートルより小さい種にすべて

「○○イルカ」という標準和名がついているわけではありませんし、それより大きな種にすべて「○○クジラ」という標準和名がついているわけでもありません。

「ゴンドウクジラ」という名前はよく耳にしますが、じつはこれは標準和名ではなく、体長が7メートルにもなる「コビレゴンドウ」や「オキゴンドウ」、体長が4メートルにもならない「ハナゴンドウ」や「カズハゴンドウ」などをふくむ、形のよく似たクジラの総称です。

また、北半球の冷たい海にすむ、ベルーガと呼ばれる白いクジラの標準和名は「シロイルカ」ですが、大人の体長は4メートルどころか5・5メートルになります。

このように、「クジラ」と「イルカ」の仕分けはあいまいなので、やはり「ハクジラの仲間で体の小さい種類を、なんとなくイルカと呼んでいる」がもっとも正しい表現なのです。

クジラとサカナは何が違う？

さて、最初にクジラとは何か？　という質問の答えにも書きましたが、クジラはほ乳類です。

つまり、同じ海に住んでいても、サカナ（魚類）ではないということです。ほ乳類の仲間は、陸上で暮らす動物にはたくさんいます。ゾウやキリン、ウマやシカ、ウサギにネズミ、イヌやネコ、サルもほ乳類ですし、私たちヒトもほ乳類です。

クジラは海に暮らす数少ないほ乳類で、「海産ほ乳類」とか「海獣」という呼び方をすることもあります。

海産ほ乳類には、ほかにアシカやアザラシなどの仲間、ジュゴンやマナティの仲間、ラッコなどがいますが、生まれてから死ぬまで一生を海の中で暮らすほ乳

ジュゴンはほ乳類だが、クジラと同じく一生海で暮らす（写真：iStock）。

類は、クジラのほかにはジュゴンとマナティー（合わせて海牛類と呼びます）だけです。
なお、ちょっと意外ですが、シロクマの呼び名で親しまれるホッキョクグマも、海の氷の上で生まれるため海産ほ乳類の仲間とされています。どうせなら、ウミグマとでも名づけられていれば、もっとわかりやすかったですね。

昔の人たちはクジラを（もちろんイルカも）、同じ海の中で暮らしているサカナの仲間だと考えていました。確かに両者は姿かたちもよく似ています。
では、ほ乳類であるクジラと、魚類で

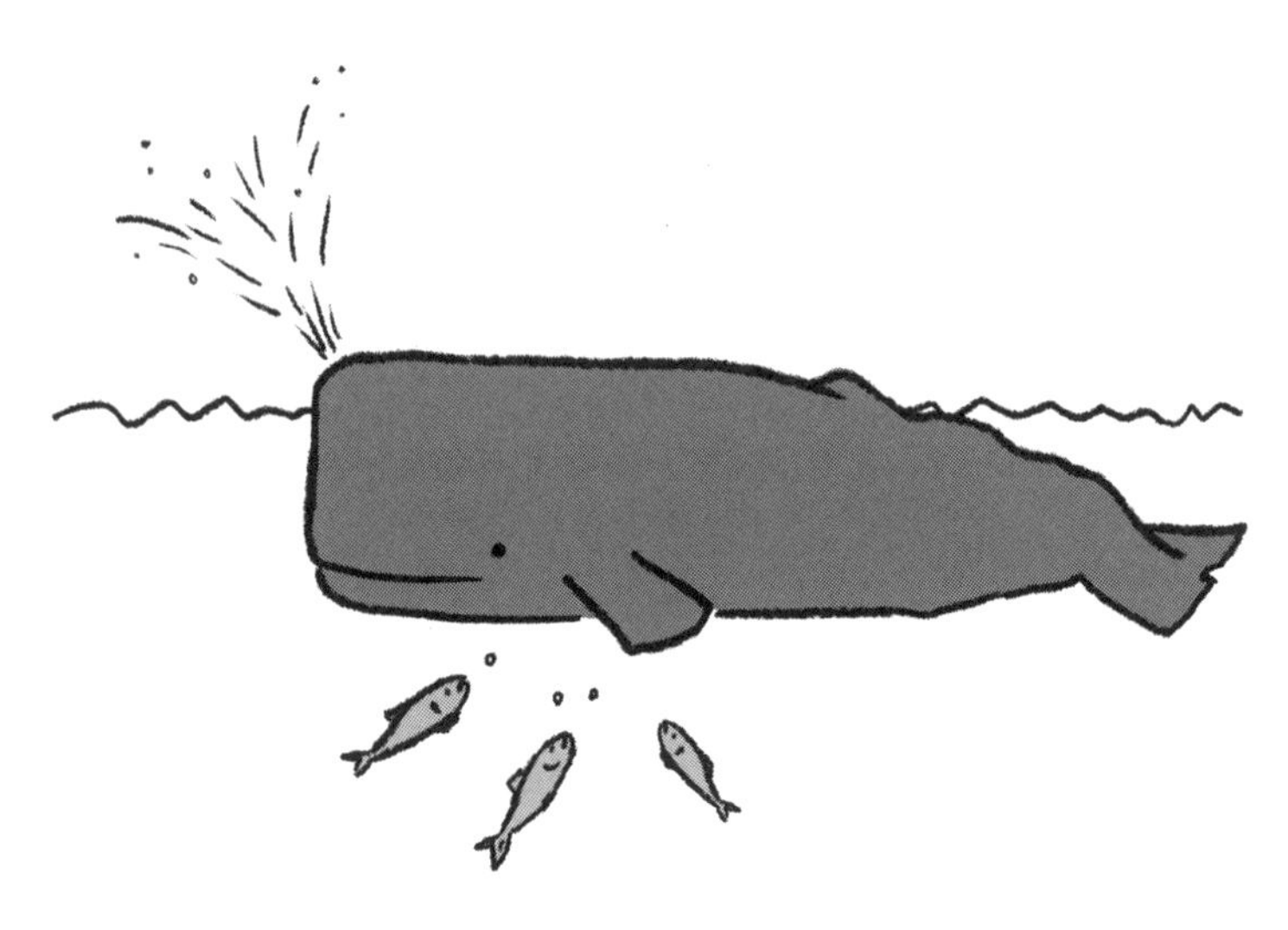

サカナと違い、肺呼吸のクジラは息つぎのために海面に出なくてはならない。

あるサカナは、どこがどう違うのでしょうか？　生物学的に細かい点をあげればその違いはたくさんありますが、大きな違いが3つあります。

（1）サカナは水中で息ができるが、クジラはできない

あれ、そうだったっけ？　と思った人は、クジラが私たち人間と同じほ乳類であることを思い出してください。

サカナにはエラ（鰓）という器官があり、これは水中に溶けている酸素を血液に取り込む働きがあります。

一方、クジラを含むほ乳類にエラはあ

りませんが、その代わりに胸の中に肺があり、空気中の酸素を血液に取り込むことができます。酸素は地球の生き物にとってとても重要で、酸素を利用する点で魚類も哺乳類も同じですが、「エラ呼吸」と「肺呼吸」という違いがあるのです。

海を泳ぐクジラの姿を見ていると、まるで水中で息ができるように見えますが、じつは私たちと同じように〝息をがまんして〟潜っているだけなのです。

たとえばマッコウクジラは、2000メートル以上の深さに1時間半潜るといわれていますが、彼らとていつまでも水中にいられるわけではないのです。息が苦しくなれば、深い海の中から海上を目指して浮上します。

もちろんこれは「息つぎ」のためで、水上に出た瞬間にクジラたちが真っ先にすることとは、肺の中にたまった古い空気を吐き出すことです。それも一気に、どーん！　と。そう、これが有名なクジラの「潮ふき」なのです。

クジラたちの鼻の穴は、頭の上にあります。ヒゲクジラの仲間は2つあります

クロミンククジラの潮ふき。

が、ハクジラの仲間は1つだけです。また、クジラは口ではなく、鼻の穴で息をします。つまり「潮ふき」は大きな鼻息なのです。

　私たちは小さな子どものころから、クジラが頭の上から噴水のように水をふく絵を見ましたし、お話の中にもそのようなシーンがたくさん出てきました。でも、じつはそれは大間違いです。クジラは鼻から水をふきません（ゾウはときどきやりますが、あれは長い鼻に吸いこんだ水を出しているだけです）。

　クジラが頭の上の鼻の穴からふいているのは、あたたかく湿った息なのですが、ものすごい勢いで大量に出すために、気温や圧力の変化で白い霧状になるのです。昔の人たちがそれを遠くから見て、「おお、クジラが海水をふいてるぞ！」と思ったのも無理はないでしょう。

(2)サカナは卵を産むが、クジラは赤ちゃんを産み、お乳で育てる

クジラは私たちと同じほ乳類ですから、卵ではなく赤ちゃんを産みます。また、母親は生まれた子どもにお乳を与えて育てます。ほ乳類の「ほ乳」とは「乳を与える」という意味なのです。

海のほ乳類の仲間でも、アシカやアザラシは陸や氷の上で子どもを産みますが、クジラとジュゴンの仲間（海牛類）は、一生を水の中で暮らすので、子どもも水中で産みます。

人間の子どもは頭から生まれてくるのがふつうですが、クジラは尻尾から生まれて来るのがふつうです。

ほ乳類であるクジラは水中で出産し、赤ちゃんは尾ビレから出てくる。

これは、水中で産み落とされる赤ちゃんも、母親と同じく水の中では息ができないため、出産に手間取っている間に赤ちゃんが呼吸を始めてしまうと、たちまちおぼれて死んでしまうからです。

そこで、体の中で一番出っ張っている尾ビレを最初に外に出すことで、残りの部分の出産をすばやくすませ、赤ちゃんが最初の呼吸をしやすいようにしているのだと考えられています。

サカナは一度にたくさんの卵を産みます。親は卵を守ることはあっても、多くの場合は卵がかえったあとはほったらかしで、運よく生きのびて成長したわずかな数の子どもがまた親になります。

これに対して、クジラを含むほ乳類では、母親は少ない数の子どもをじっくりおなかの中で育ててから産み、独り立ちするまで乳を与えながら大切に育てます。

同じ海の生き物でも、サカナとクジラでは子どもの産み方や育て方に大きな違いがあるのです。

(3)サカナの体温は周囲の温度で変わるが、クジラの体温は一定

ほ乳類と魚類の大きな違いに、体温があります。

私たちほ乳類は、寒い冬でも暑い夏でも、病気のときを除けば体温は常に一定です。このような動物を恒温動物と呼び、ほかには鳥の仲間がいます。

これに対してサカナの体温は一定ではありません。

水の温度が冷たいと体温も低くなり、水の温度が高いと体温も高くなります。このような動物は変温動物と呼び、カエルなどの両生類やカメなどのは虫類も変温動物です。カエルやカメが冬眠するのは、寒い冬は体温が下がって動けなくな

るからです。

クジラはほ乳類ですから体温は一定なのですが、陸上のほ乳類に比べると、海の中で体温を保つのは簡単なことではありません。

なぜならば、水中では、空気中よりも熱の伝わり方がものすごく速いからです。このため少しでも水温が体温より低ければ、体温はどんどん水にうばわれてしまい、こごえてしまいます。

みなさんも、プールや海水浴に行ったときに、長い時間水につかったままでいると、真夏の暑い日にもかかわらず体がぞくぞくしてきたことがあるかもしれません。これはたとえ水の温度が暖かく感じても、実際には体温より低いため、体の熱がうばわれてしまうからなのです。

また、陸上のほ乳類では、寒い地域に住む動物は暖かい毛皮で体温を守っていますが、クジラの体には毛皮などありません。

じつは「毛が生えていること」もほ乳類の特徴なので、クジラにもわずかながら毛が生えているのですが、とても体温を守る役には立ちません。しかも大型のヒゲクジラ類の多くは、夏の時期にエサの豊富な北極や南極の海まで移動します。そんな冷たい海で、いったい彼らはどうやって体温を守っているのでしょうか？

クジラの大きな特徴の1つは、皮膚（表皮）の下の脂肪がものすごく厚いことです。クジラはこの脂肪で体を包むことで、あたかも脂肪のコートを着ているように水の冷たさから体温を守っているのです。

また、この脂肪は体内で分解することでエネルギーや水にもなります。

みなさんは、ラクダの背中のこぶの中身が脂肪で、その脂肪のおかげで水を長い間飲まずに砂漠を旅することができるのだと聞いたことがあるかもしれません。

海の中で暮らすクジラの脂肪もまた、冷たい水から体温を守るとともに、エサだけでは足りない水分や栄養分を得るという重要な働きを持っています。

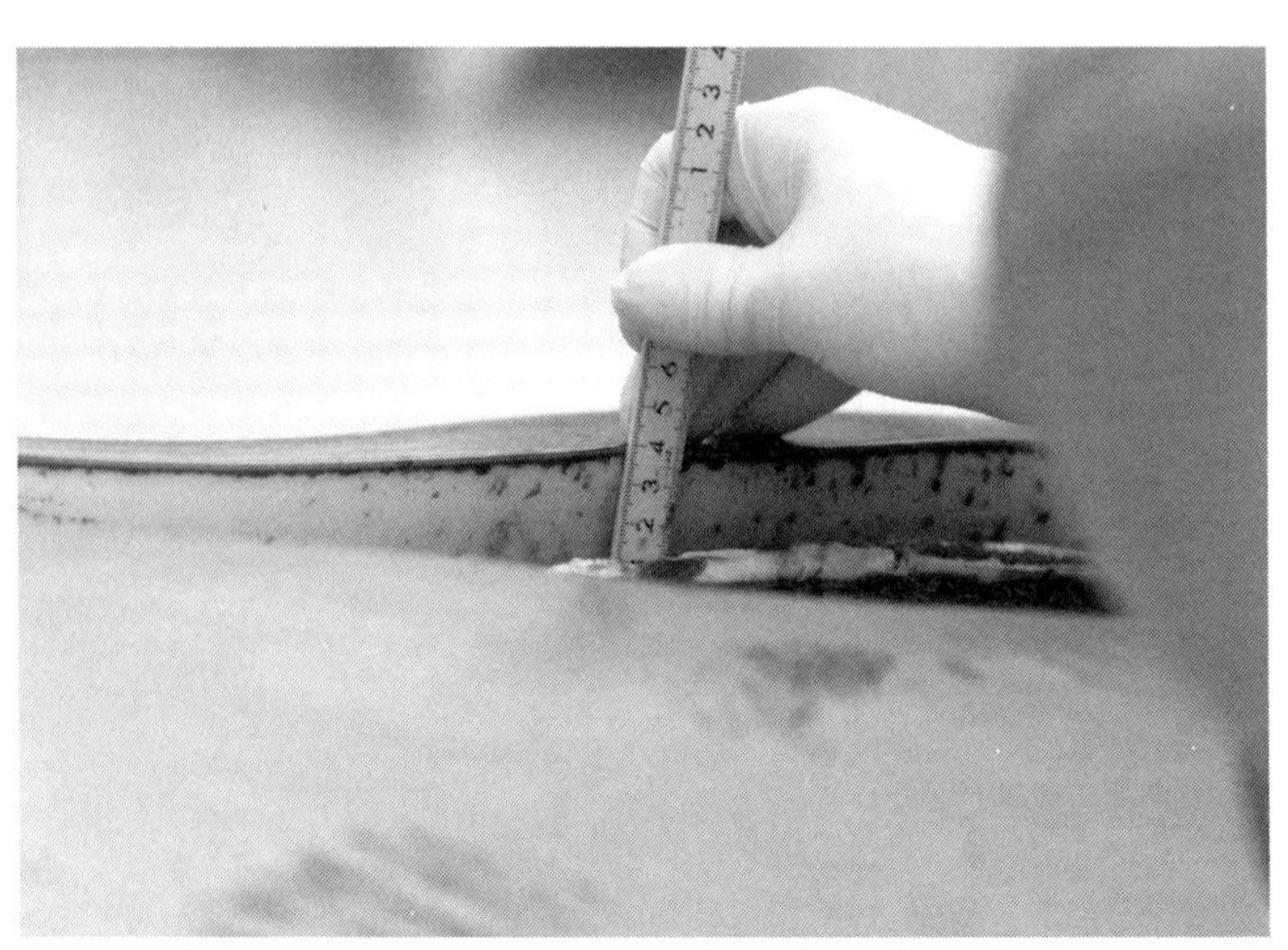

クロミンククジラの皮膚の下の分厚い脂肪。冷たい海水から体温を守り、エネルギーや水分にもなる。

人間のお父さんたち（たまにお母さんも）は、若い頃を過ぎるとだんだんお腹が出てきて太ってくる人が多いのですが、これは運動不足に加えて、お腹の脂肪が厚くなってくるためです。

会社の健康診断で、お医者さんに「あなたはメタボ（メタボリック・シンドローム）ですね、食事に気をつけてください」などと言われ、がっくりきているお父さんも多いと思いますが、クジラは生まれながらにしてメタボです。人間では考えられないほど大量の脂肪を体にたくわえていますが、クジラではそれが健康のあかしなのです。

クジラは昔、陸で暮らしていた！

シロナガスクジラの話のところで、「クジラは海の中で体が大きく進化した」といいましたが、クジラは最初から海の中に住んでいたわけではありません。クジラのご先祖にあたるほ乳類は、もともとは陸上に住んでいた4本足の動物だったのです。

このクジラの直接のご先祖がどんな動物だったのかについては、長い議論がありました。

今では20世紀の終わり頃に化石が見つかった、およそ5500万年前に暮らしていたパキケタス、5000万年前に暮らしていたアンブロケタスなどの4本足の動物が、クジラのご先祖であることがわかっています。

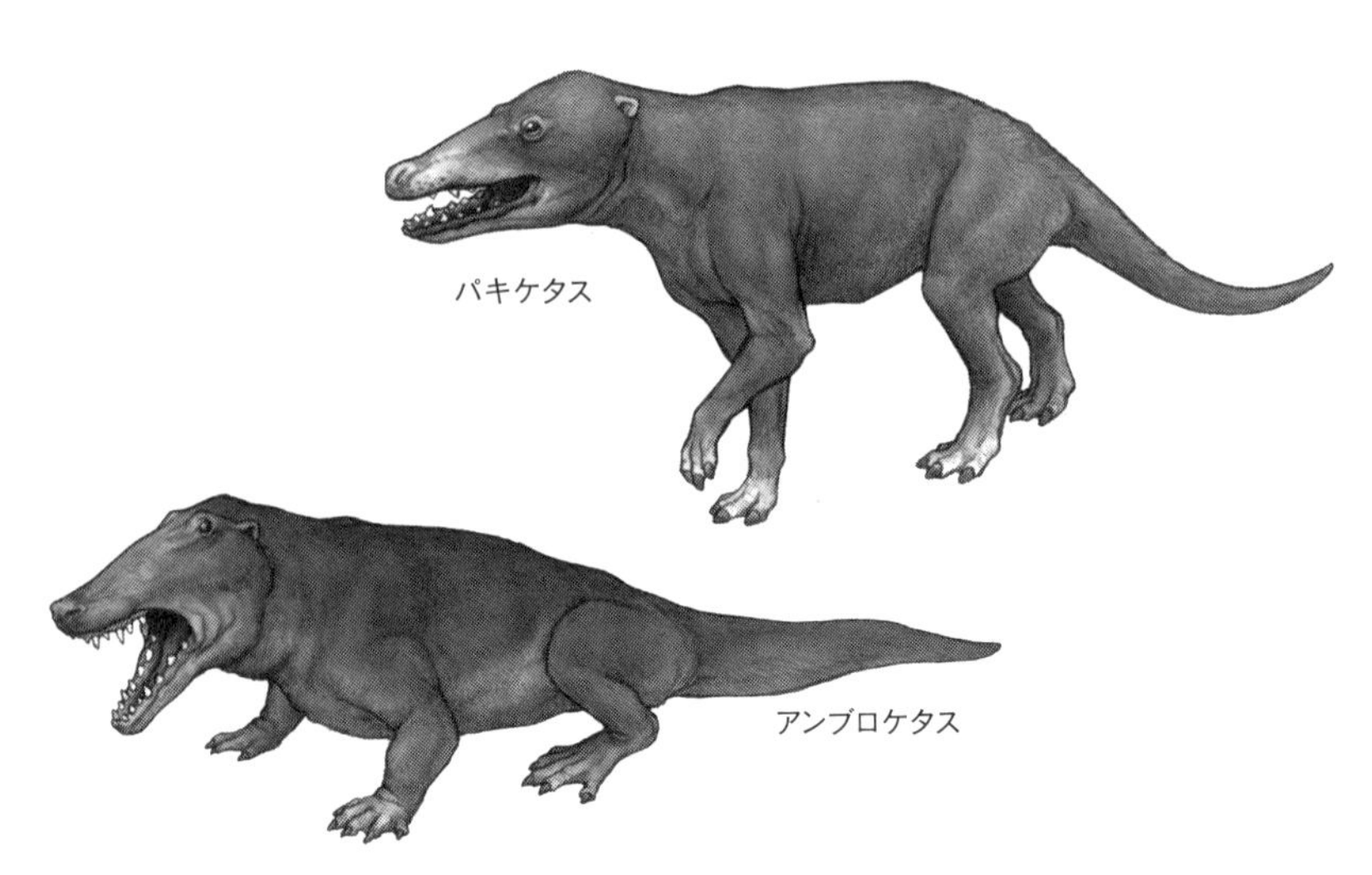

クジラの先祖は4本足で陸上を歩いていた。パキケタス（5500万年前）とアンブロケタス（5000万年前）（イラスト：川崎悟司）。

復元された姿を見ても、およそクジラとは似ても似つきませんが、化石に残された耳の骨が現在のクジラと同じ特徴を持っていたことから、クジラの先祖だとわかりました。

彼らは、テチス海という、浅く暖かい海辺で暮らしていたと考えられています。5000万年以上たった今は、ヒマラヤ山脈がそびえるあたりです。

クジラのご先祖たちは、陸上よりも水中にエサを求めるようになるにしたがい、次第に海の生活に適応して体形も変わっていったわけですが、最も大きな変化は

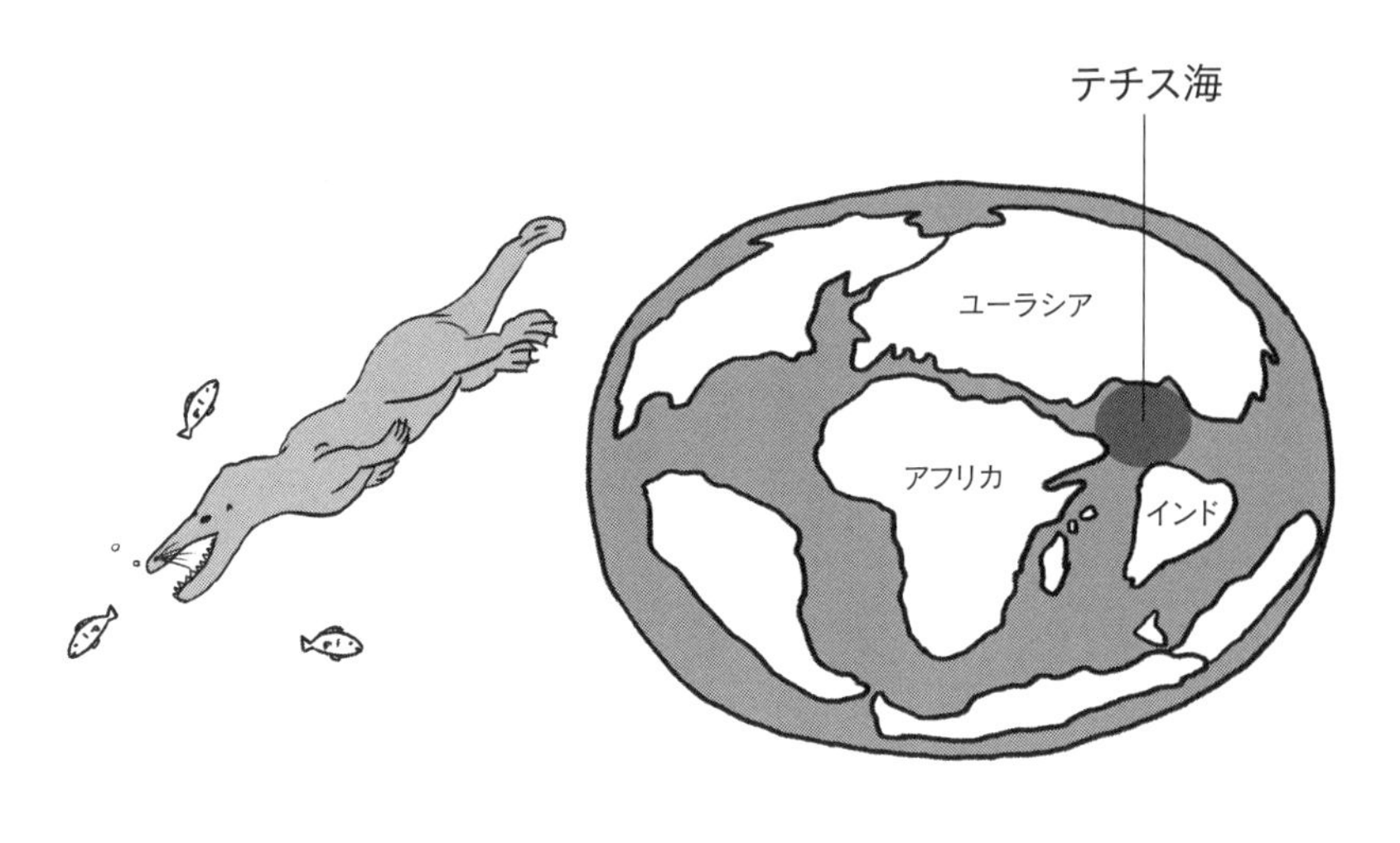

クジラの先祖は水中にエサを求めるようになっていった。

5000万年以上前の地球。クジラの先祖はテチス海と呼ばれる海辺に暮らしていた。

足がなくなってしまったことでしょう。

クジラのご先祖さまが最初に水中でエサをとり始めたころは、おそらく現在の陸上の4本足の動物と同じく、「犬かき」のような泳ぎしかできなかったはずです。

でも、犬かきでは、素早く泳ぐ魚を捕まえることはだいぶ難しそうです。

そこである時期から、彼らは手足で泳ぐのではなく、尻尾を振って体を波打つように上下にくねらせて泳ぐ方法を獲得しました。やがて、より強く水をかくために、尻尾の先に尾ビレが広がりました。

また、顔をいちいち水上に出さなくて

も息つぎができるように、鼻の穴が次第に頭の上に移動してきました。泳ぐのに使わなくなってしまった後ろ足は次第に小さくなり、とうとう最後にはなくなってしまいました。

現在のクジラでは、以前は4本あった足のうち、前足は胸ビレとして残りましたが、後ろ足はもはやありません。クジラは5000万年かけて、ようやく今の姿になったのです。

足はないけど、骨はある

現在のクジラの骨格には、胸ビレの中には腕や指の骨がしっかり残っているのがわかりますが、足の骨はどこにも見当たりません。

けれどもよく見ると、背骨のやや後ろ寄りに、どの骨にもつながっていない小さな骨が1対あることに気づきます。

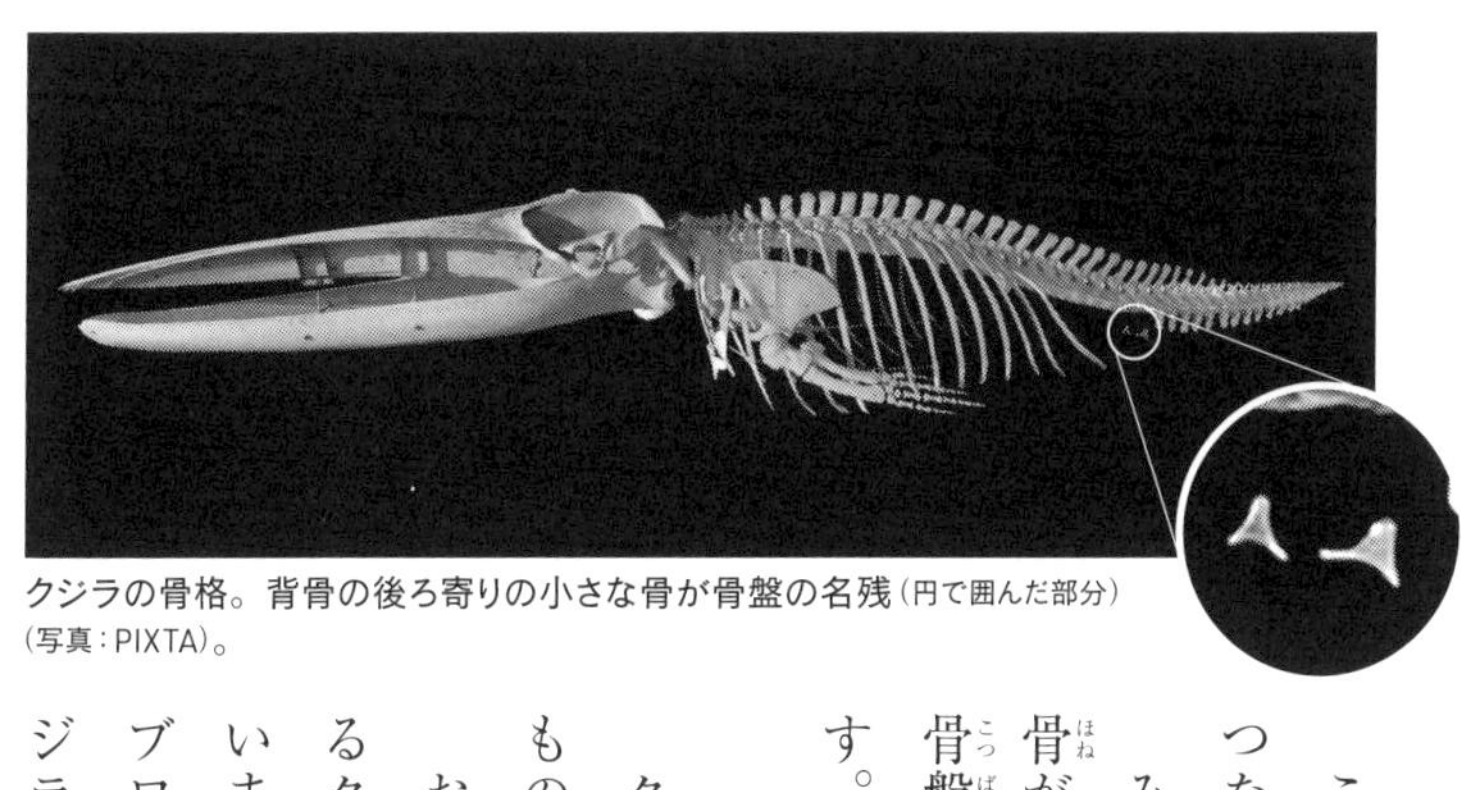

クジラの骨格。背骨の後ろ寄りの小さな骨が骨盤の名残（円で囲んだ部分）（写真：PIXTA）。

この骨は骨盤（腰の骨）の名残で、もともと骨盤は背骨とつながっていて、ここから足が出ていたのです。

みなさんも腰に手を当てれば大きな骨盤があり、背中の骨がつながっていることがわかりますね。クジラは、この骨盤と足の骨を海の生活ではもういらないと決めたわけです。

クジラのご先祖たちの化石は、今でもさまざまな時代のものが発見されています。

およそ4000万年前に暮らしていたドルドンと呼ばれるクジラの仲間は、すでに現在のクジラに近い体形をしていますが、海の暮らしへの適応ぶりは、パキケタスやアンブロケタスといった4つ足のクジラのご先祖と、現生のクジラとの中間といったところです。

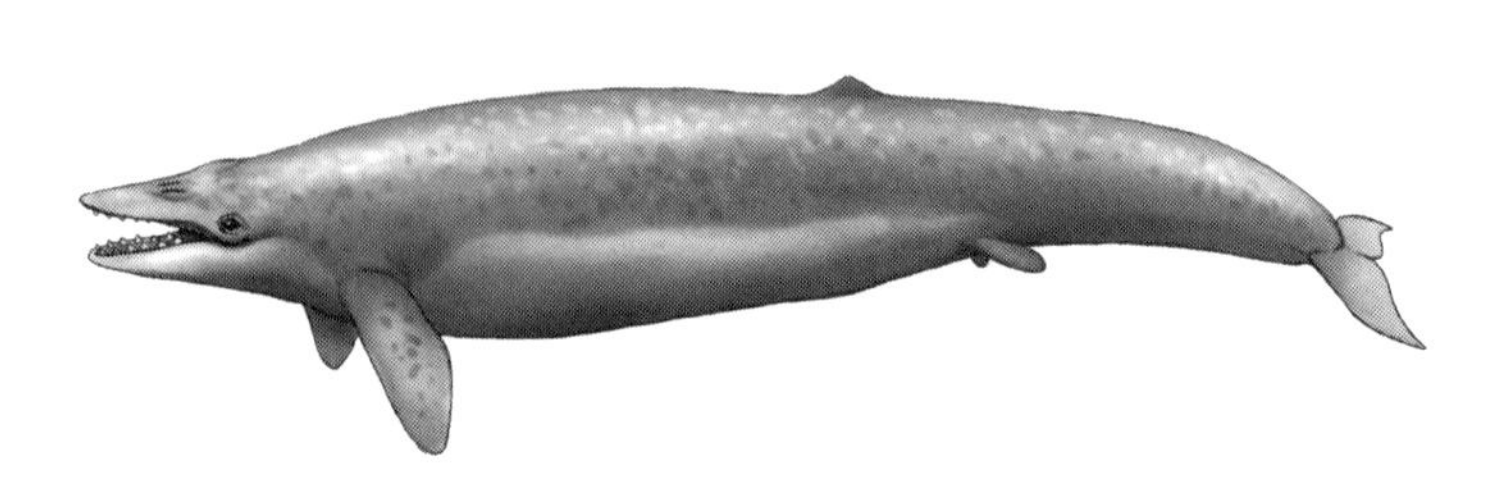

4000万年前のクジラの先祖・ドルドン。現在のクジラに近い体形をしている。（イラスト：川崎悟司）

鼻の穴は、すでに頭部の先端からだいぶ後方に移動していますが、まだ頭のてっぺんにはありません。そして後ろ足は、かろうじてまだ足の形を残しているものの、もはや陸上で体を支えて歩くことはできなかったはずです。

ところで、クジラのご先祖たちは、手足で泳ぐのをやめて体を縦にくねらせて泳ぐようになった（とりあえずこれを「クジラ泳ぎ」と呼びましょう）と言いましたが、最初はどんな泳ぎ方だったのでしょうか？

現在の陸上動物の中では、カワウソの泳ぎ方がこれに近いと言われています。私も気になって動物園に行くたびにカワウソの泳ぎ方を観察するのですが、なかなかその優雅な泳ぎを見ることができません。どうもカワウソたちは飼われている水槽が狭いと、のんびりと「犬かき」で満足しているようで、あわてたり急いだりするときだけ「クジラ泳ぎ」をしているようです。

サメとイルカの姿が似ている理由

じつは、この「クジラ泳ぎ」は、先ほどお話ししたサカナとクジラの違いの1つでもあります。

たとえば、サカナの仲間であるサメと、クジラの仲間であるイルカを比べて見ましょう。イルカにはサメにあるエラや腹ビレはありませんが、それ以外では、両者の体形はとてもよく似ています。

けれどよく見ると、サメの尾ビレが垂直方向（縦）になっているのに対し、イルカの尾ビレは水平方向（横）になっていますね。これは、サカナが体を横にふって泳ぐのに対し、ほ乳類であるクジラは体を縦にふって泳ぐためです。

進化の系統がまったく違うサカナとクジラですが、体の形が似ているのは、クジラが何千万年もの間、同じ海の中で暮らしているうちに、サカナと同じように水中で早く泳ぎ、エサをとるために次第に体のつくりが似てきたためです。

このように、本来まったく異なる生き物が、長い間、同じ環境で暮らすうちに見た目の形が似てくることを、むずかしい言葉で「収斂」と呼びます。

クジラ以外でも、この収斂の進化でサカナに似た形になった生き物として、クジラよりずっと古く中生代(2億5000万年前~9000万年前)に繁栄した魚竜(イクチオサウルスなど)がいます。

小型の魚竜はイルカにとてもよく似ていますが、魚竜は魚類でもほ乳類でもなく、同時代に繁栄した恐竜と同じは虫類の仲間です。

魚竜のご先祖も、やはり陸上で暮らしていた4本足の大型は虫類だったと考えられていますので、陸よりも海で暮らすことを選ぶ変わり者たちは、クジラのご先祖だけではなかったということですね。

イルカとサメの比較

どちらもよく似ているが、イルカの尾ビレは水平で、サメは垂直の尾ビレを持っている。
違う生き物が同じ環境で過ごすうちに体の形が似ていることを「収斂（しゅうれん）」と呼ぶ。

中生代の魚竜はイルカに似ているが、は虫類の仲間。

子どもは1頭ずつしか産まない

魚類とほ乳類の違いの中で、サカナはたくさんの卵を産んでたくさんの子どもを作るが、実際に大人になれるのはわずかで、一方のほ乳類は少ない子どもを産んで大事に育てる、という話をしました。

けれど、同じほ乳類でも、ネズミの仲間など10匹以上の子どもを産む種類がいる一方、ウシやウマ、そして私たちヒトなどは、普通は1頭か、多くても2頭くらいしか子どもを産みません（もちろんヒトでも五つ子や六つ子が生まれることがあります）。イヌやネコが産む子どもの数はその中間くらいでしょうか。

では、クジラはどうなのでしょう。

これまで知られている限りでは、クジラは大きなヒゲクジラの仲間から小さなイルカの仲間まで、すべて1回の出産で1頭しか産みません。

これには、クジラが水中で出産する数少ないほ乳類であることも関係しているようです。水中に産み落とされた子どもは、すぐに水面に出て最初の呼吸をしなければおぼれて死んでしまいます。

けれども生まれたばかりのクジラの子どもは、まだ泳ぎもへたくそなので、ときには母親や、そばにいる仲間のメスが、生まれた子を背中で押し上げて呼吸を助けてやることもあるようです。

また、母親はお乳も水中で与えなければならず、水の中での子育ては、陸上とくらべて親子ともども何かと苦労が多いのです。


さらに母クジラは、大型のサメやら、同じクジラでもほかのクジラを襲って食べるシャチなどの天敵から子どもを守ってやらねばなりません。

この点は、巣穴やねぐらを持たずに草原を移動して暮らすゾウやキリン、シマウマなどの草食動物も同じで、天敵であるライオンやハイエナなどから身を守るために、生まれた子どもはすぐに自分で立ち上がり（クジラならすぐに泳ぎ）、母親についていくだけの力が備わっている必要があるのです。

クジラの子どもがゾウやキリン、シマウマと同じように1頭ずつしか生まれないのは、これらの理由のためと思われます。

長い旅をしながらの子育て

ところで、ヒゲクジラの仲間の多くは、夏になると南極や北極に近い冷たい海でエサを食べ、冬になると赤道に近い暖かい海に移動して、出産と子育てをするという、季節移動（季節回遊）を行います。

中でもザトウクジラやコククジラはとくに長い距離を旅することで有名で、北太平洋のザトウクジラならば、夏は冷たいアラスカの海やベーリング海まで旅をしてエサを食べ、冬になるとハワイや小笠原、沖縄などの暖かい海に移動して子どもを産み育てます。

わざわざエサの豊富な冷たい海から暖かい海まで移動するのは、生まれてくる子どもが、冷たい海の水温に耐えられるほどの厚い皮下脂肪を持っていないためです（クジラは冷たい水から体温を守るために厚い脂肪で体をおおっているという話を思い出してください）。

一方の母親は、暖かい海で生まれた子どもを太らすためにせっせと母乳を与えますが、この間、自分はほとんどエサを食べません。

夏の間、冷たい海でたくさんエサを食べて、せっかく体にたくわえた皮下脂肪は、おかげでどんどん薄くなってきますが……子育てをする暖かい海では、じつはそれでちょうどいいのです。冷たい海のための厚い脂肪のコートが、暖かい海で薄着になるわけですからね。

やがて子どもが大きくなり、自分でエサを食べられるようになる頃には、再びザトウクジラたちは冷たい海を目指して移動を始めます。冷たい海ではたくさん

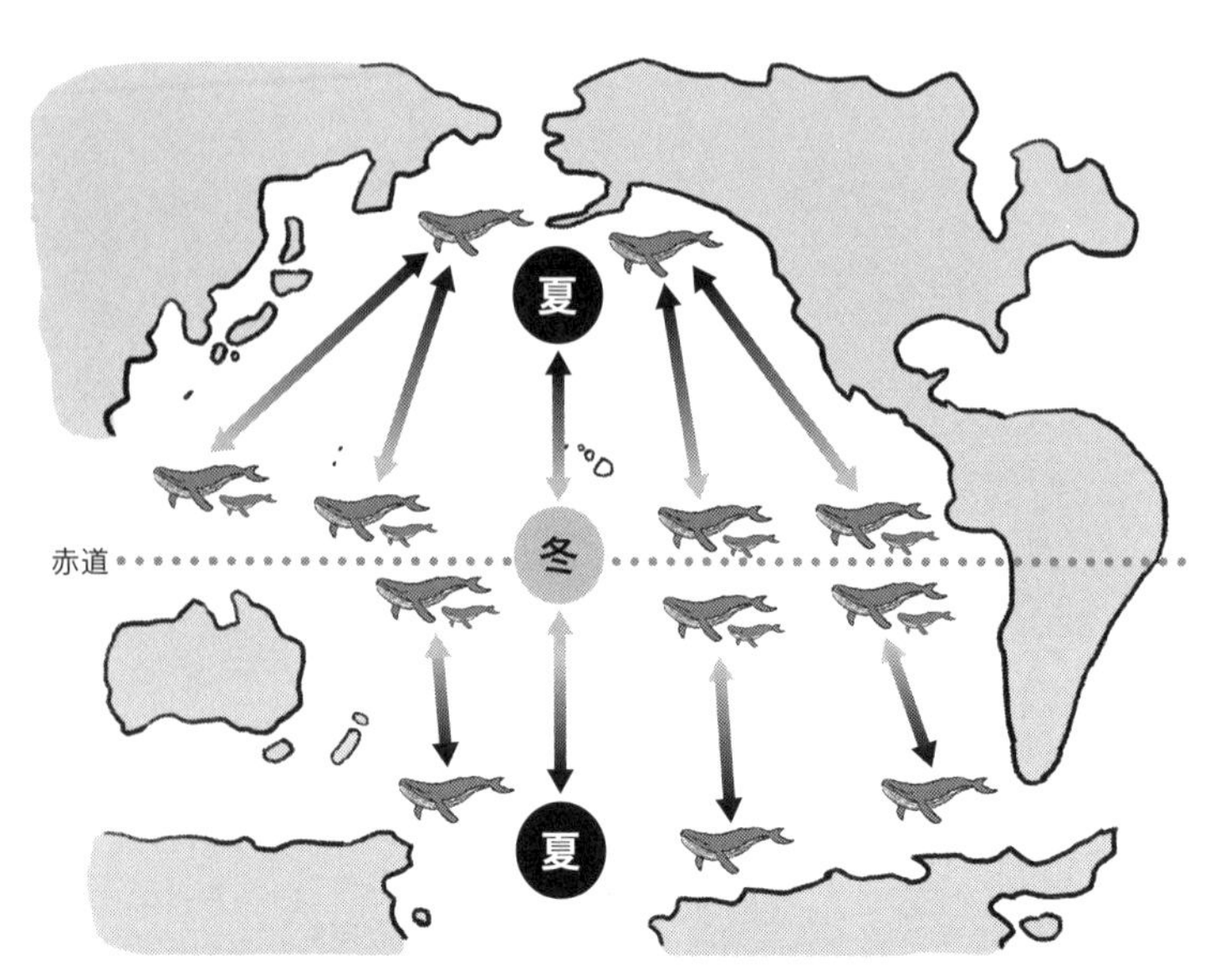

ヒゲクジラの仲間は季節移動をくり返す。夏場は北極や南極に近い海でエサを食べ、冬場は暖かい赤道近くの海で子育てをする。

のエサを食べ、また脂肪を増やして、次の出産に備えるのです。

なお、ヒゲクジラの仲間に比べると、ハクジラの仲間はあまり長い旅（季節回遊）はしないと考えられています。

ハクジラの仲間でも最大の種類であるマッコウクジラは、メスを中心とする集団が回遊することが知られていますが、遠く北極や南極の海まで回遊するのは、群れから離れて単独で生活する大人のオスだけです。

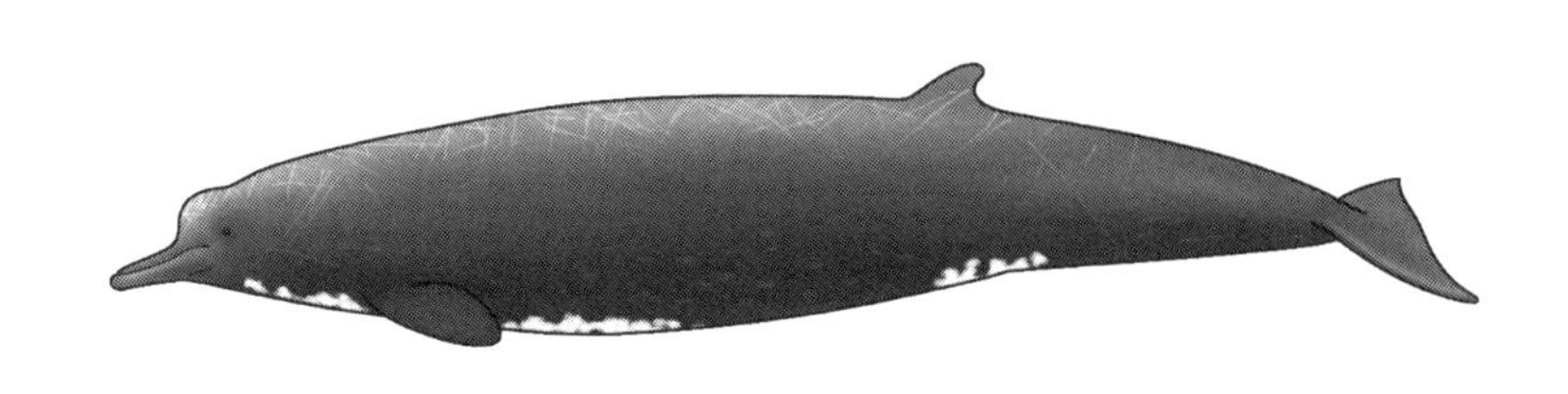

夏に日本の沿岸でよく見られるツチクジラ。生態はわからないことが多い。

　また、ツチクジラという大型のハクジラは、夏になると日本の沿岸近くに現れますが、冬にどこで暮らしているかはよくわかっていません。それどころか、沖合で暮らす多くのハクジラ類については、21世紀の現在でも、その生態がほとんどわかっていません。

　クジラは地球で最も大きなほ乳類の仲間ですが、広大な海を泳ぐクジラたちの暮らしを知ることは未だに容易なことではないのです。

海水を飲むか、飲まないか

昔の映画などで、船が遭難して長い間ボートで漂流するような話では、飲み水がなくなって漂流者がのどのかわきに耐えられなくなり、海水を飲もうとする場面がよく出てきます。

こんなときは必ず、まだ理性ある仲間が「海水を飲んだら死んでしまうから絶対飲んではだめだ！」と止めるものです。

これは私たち人間の体が、塩分濃度の高い海水から水分だけを取り出す能力を持っていないため、海水を飲むと体の塩分が高まってますます水が飲みたくなり、最後には死んでしまうからです。

それでは生まれてから死ぬまで海で暮らすクジラたち（中には川で暮らすイルカたち

もいますが）はどうでしょうか。

水分そのものは、エサにする魚からも得られますし、体温のところでも書きましたが、クジラは皮下の分厚い脂肪を分解することでもある程度は得ることができます。

でも、クジラが海水を積極的に飲むのか飲まないのか、飲んでも生きていられるのかという問題には、長い間議論がありました。

以前には飼っているイルカに無理やり海水を飲ませたり、淡水と海水のプールでイルカを飼って尿の成分を比較するなどの実験もおこなわれましたが、それでも自ら海水を飲むかははっきりしませんでした。

現在わかっているのは「クジラは積極的には海水を飲まない。けれど多少飲んでも、腎臓の機能が発達しているために海水より濃い尿を排出できる（海水からも水分を取り出せる）」ということです。

海の中でエサを食べる以上、どうしたって海水も一緒に飲み込んでしまいますからね。

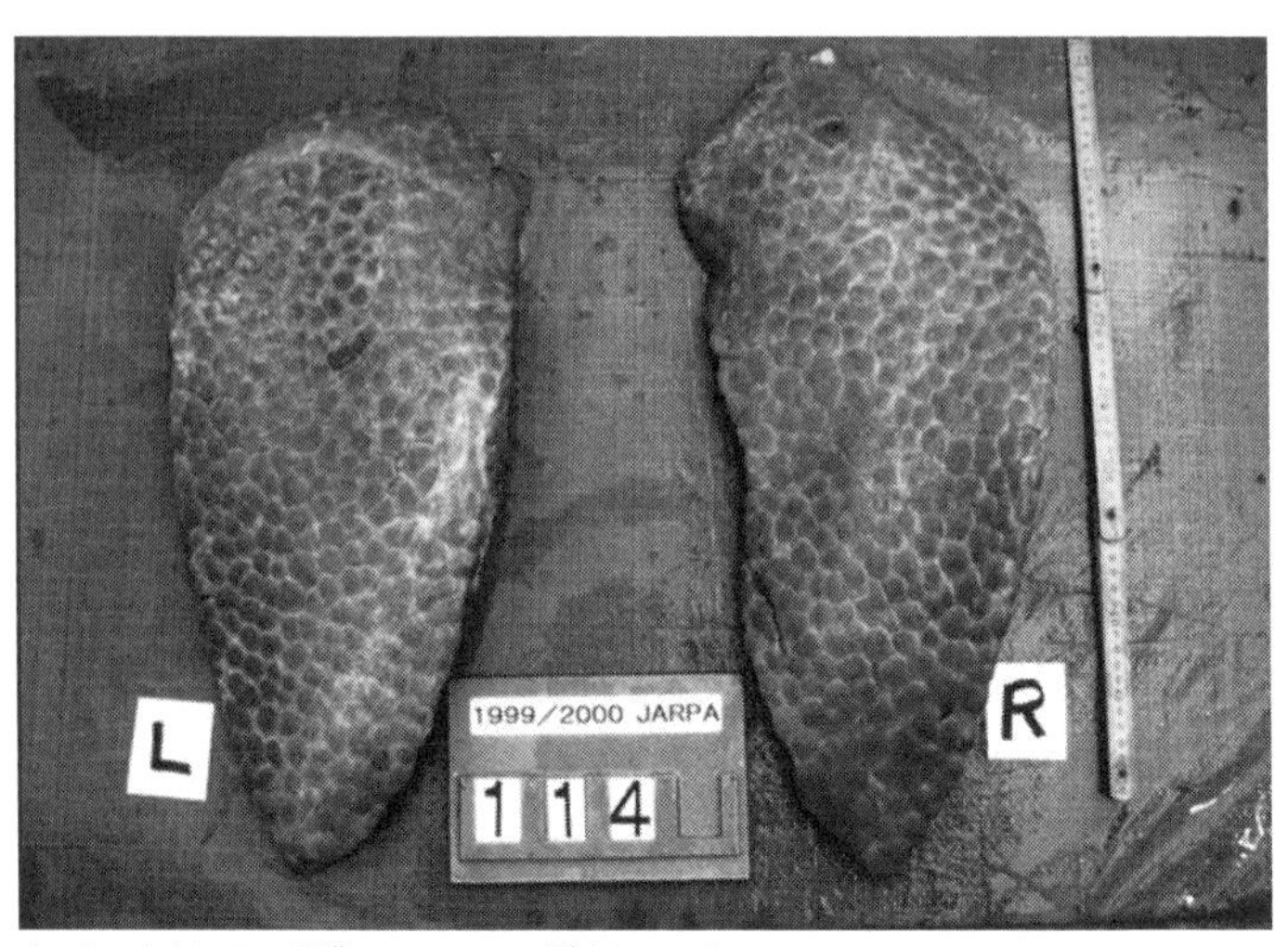

クロミンククジラの腎臓。つぶつぶの形をしている。

クジラに限らず、アシカやアザラシ、ホッキョクグマやラッコなど、海で暮らすほとんどすべてのほ乳類の腎臓は、ブドウの房のようなつぶつぶのかたまりの形をしています。

私たちヒトや、イヌやネコなどは左右に1個ずつ、つるんとした腎臓を持っているのですが、クジラたちのブドウの房状の腎臓は、つぶつぶのひとつひとつそれぞれが腎臓の働きを持っています。

クジラたちが海水を飲んでも平気なのは、この小さな腎臓がたくさんあるので塩分を体の外に出す能力が高いのだとも言われていますが、陸上のクマなども同じようなブドウの房状の腎臓を持っているので、はっきりした理由はわからないようです。

脳を半分ずつ眠らせている！

ここでみなさんに質問を1つ。海を泳いで暮らすクジラたちは眠るのでしょうか？　眠るとすればどこでどうやって寝るでしょうか？

①海の上に浮かんで寝る
②水中で寝る
③泳ぎながら寝る
④寝ているようで寝ていない

さあどうでしょう？

じつはこれ、すべて正解です。

でも、④についてはもっと説明が必要でしょう。すべてのクジラで確認されているわけではありませんが、彼らは脳を左と右半分ずつ眠らせる「半球睡眠」という方法で寝ていることがわかっています。

つまり、左半分の脳が寝ているときには右半分の脳は起きていて、右半分の脳が寝ているときにはその逆になります。

これは一生を水の中で暮らすクジラが、寝ている間におぼれないようにするために身につけた技ともいわれ、空を飛ぶ鳥の仲間でも半球睡眠をおこなう種が知られています。

ですので、クジラは脳の半分は寝ていても、半分は寝ていないという、ややこしいことになります。

半球睡眠のおかげで、クジラは泳ぎながら寝ることができるのですが、マッコウクジラのような大きなクジラでは、海上でまるで丸太のように浮かんでいることがしばしばあります。

私も洋上で何度か見ましたが、最初は死体が浮いているのかと思いました。けれど、よく見ると静かに呼吸をしているので寝ているとしか思えず、このような状態だと船が近づいても避けようとしません。

外洋を航海する大型ヨットなどがクジラと衝突してしまう事故がときどき起きますが、これはエンジンを使わず帆走するヨットが静かなために、よけい寝ているクジラが船に気づきにくくなるのでしょう。

最近、マッコウクジラが群れごと水中で寝ている姿が撮影されて話題になりました。

しかも、頭を上にしたり下にしたりしながら、みな、縦になっているのです。彼らが常にそのような眠り方をしているかどうかはわかりませんが、写真を見るとそれはまるで海中に林立する大木のようで、とても神秘的な様子です。

みなさんが実際に寝ているクジラを見たいと思うのなら、クジラの仲間である

マッコウクジラの睡眠の様子。体を縦にして眠っている（写真：日経ナショナルジオグラフィック社）。

イルカを飼っている水族館に行くのもいいでしょう。

最近では、夜の水族館を探検するようなツアーをおこなうところも多いようですので、そこでじっくりと夜のイルカたちを観察しましょう。

イルカを飼っている環境にもよりますが、水面でじっと浮かんで寝るイルカ、水中でボーッと寝ているイルカ、ゆっくりと泳ぎながら寝ているイルカ（このタイプが1番多いようです）などが見られるでしょう。

運がよければ、水底で寝ているイルカも見られるかもしれません。冗談のように聞こえるかもしれませんが、自然界と違って天敵のいない水族館のプールではイルカも安心するのか、たまにそうやって寝ることがあるようです。

私も初めて見たときは、てっきり死んで沈んでいるのだと思い、大あわてしました。けれどもしばらくすると、プカーッと水面まで上がってきて呼吸をして、また水底に戻って寝るのです。

さぞやいい夢を見ているのではないかと思いたくなるのですが、イルカの脳を研究したある科学者によると、彼らの脳には夢を見る機能がないのだとか。なんとも夢のない話ですね。

ヒゲクジラの「ヒゲ」は何のため？

最初に、クジラには口の中に歯があるハクジラの仲間と、口の中にヒゲ板があるヒゲクジラの仲間がいると書きました。

クジラの上あごに生えているのがヒゲ板。とてもしなやかで丈夫。

もともとクジラのご先祖は陸上で生活していたほ乳類だったので、ハクジラの口の中に歯があるのはなんとなくわかるのですが、ヒゲクジラのヒゲ板はいったい何のためにあるのでしょうか？

ヒゲ板は、ヒゲクジラの上あごにだけ生えていて、下あごには何もありません。まるで髪をとかすブラシのように見えますが、よく見ると三角形の板状の組織が左右両側にそれぞれ300〜400枚ほど重なって生えていることがわかります。

その1枚1枚はまるでプラスチックの

ヒゲ板は釣り竿の穂先や文楽人形に使われている。昔は武士の着る裃（かみしも）にも使った。

セミクジラのヒゲ

下敷きのようにしなやかで、しかもプラスチックよりも丈夫です。

同じヒゲクジラの仲間でも、小さなミンククジラのヒゲ板が30センチくらいなのに対し、セミクジラのヒゲ板は2メートル以上になるため、プラスチックのない時代には、世界中でこのヒゲ板がさまざまな材料に使われました。

現代の日本でも、ちょっと凝った釣り竿の穂先や、伝統芸能の文楽で使われる人形のバネ部分などに使われています。

昔はお城の侍たちの正装である裃などにも使われていました。裃の肩の部分がぴしっと横を向いているのは、ヒゲ板で作った支えが入っていたからなのです。

さて、進化の過程でヒゲクジラがヒゲ板を発達させたのは、海の中で群れを作るエサの生き物たちを効率よく食べるためです。

これはハクジラとヒゲクジラのエサの食べ方を比べてみるとよくわかります。カタクチイワシやマイワシのような小型の魚は、大きな群れになるとまるで海の中に巨大なボールが浮かんでいるような密集した状態で移動します。

これは、ばらばらで泳ぐよりも集まって泳ぐほうが、彼らをエサとする外敵（捕食者）の目を惑わせて、生き残る可能性が高くなるからだといわれています。

とはいえ、もちろん捕食者たちはそんな「イワシボール」（正しくはベイトボールと言うそうです）を放ってはおきません。まずはカツオやマグロといった大型の魚がやって来て、ボールの中に食らいついて行きます。

空からはカツオドリたちが急降下して水中のボールめがけて次々と飛び込みます。イワシボールは、捕食者たちを避けるためにその都度に広がったり、伸びたり縮んだりと形を変えますが、決してバラバラにはなりません。

そうこうするうちに、今度は騒ぎを聞きつけたハクジラ、すなわちイルカたちが集まってきます。

彼らはエサの集団を見つけて大喜びでボールの中に突っ込んで魚を食べますが、基本的には1匹ずつくわえては飲み込み、くわえては飲み込みを繰り返します。

イルカたちは私たち人間のように、ご飯をよくかみくだいて飲み込むことはせず、すべてまる飲みです。

ハクジラの歯は、クジラの種類によって形や数がさまざまですが（中には一生、歯ぐきの中に埋もれて見えないものもいます）、多くは同じ形をした鋭い歯が並んでいて、エサをくわえるためだけに使われるのです。

さあ、イルカたちが騒いでいる間に、いよいよヒゲクジラたちがやってきました。

彼らはハクジラのように1匹ずつ食べるという面倒なことはしません。大きな口をいっぱいに開いて、巨大なイワシボールをかじり取るように、大量の魚をパクッと海水ごと口に入れてしまうのです。

ヒゲクジラたちの多くは、のどのあたりからお腹のあたりまで、「畝」と呼ばれる縦のみぞがたくさんあります。

この畝は、口の中に大量のエサと海水が入ると、楽器のアコーディオンのひだひだの部分（蛇腹）や、スカートのひだひだ（プリーツ）のように、ビヨーンと広がる仕組みを持っています。

口の中に海水とエサを入れたヒゲクジラの体は、ふだんのスマートな体形からは想像できない、まるでオタマジャクシのような奇妙な形になるのですが、この状態ではまだエサを飲み込んでいません。と言うのも、このままエサを飲み込むと、海水も大量に飲み込んでしまうので、さすがのクジラもあまり体によろしくないのです。

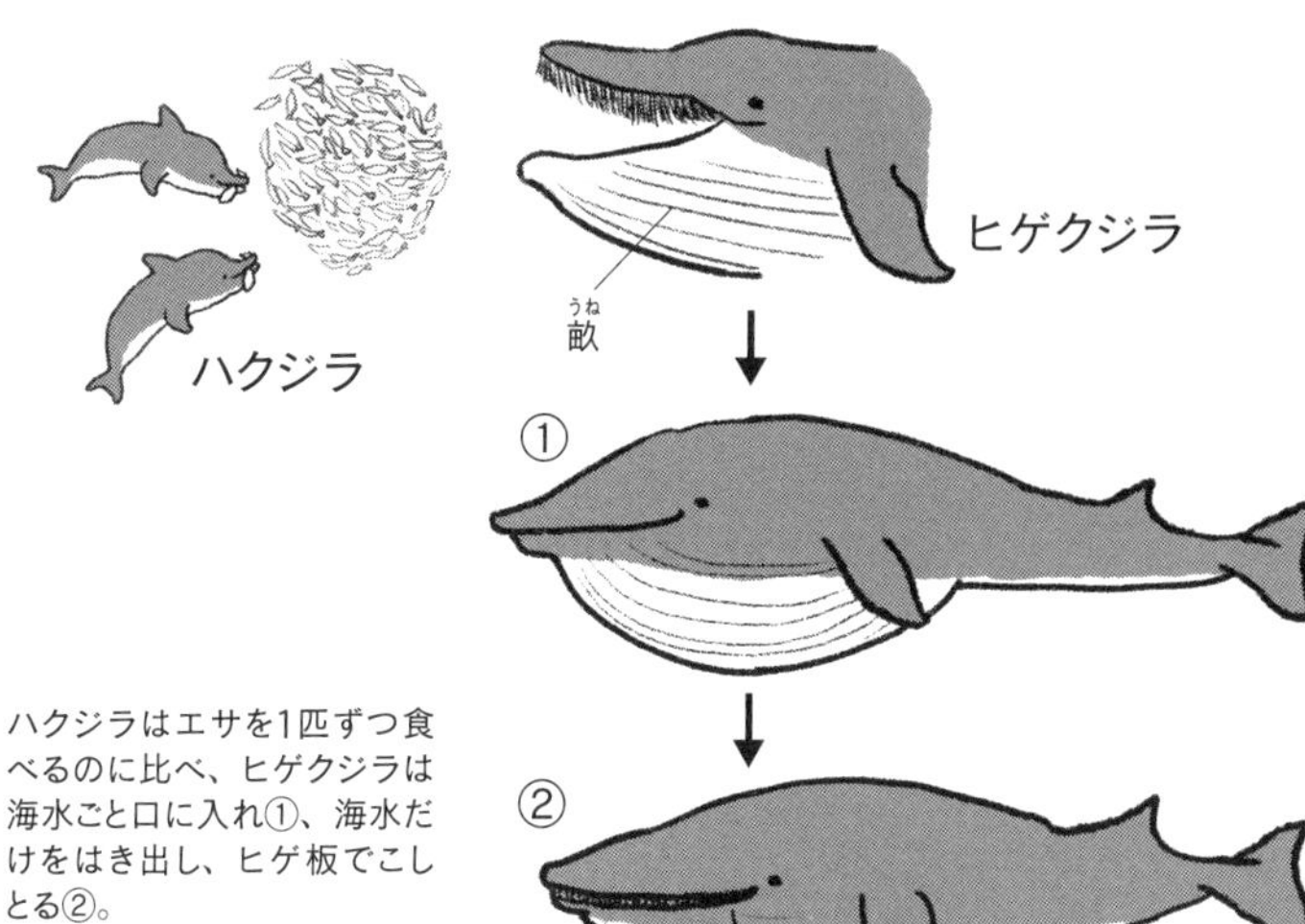

ハクジラはエサを1匹ずつ食べるのに比べ、ヒゲクジラは海水ごと口に入れ①、海水だけをはき出し、ヒゲ板でこしとる②。

ここでついにヒゲ板が役に立つときがきました。

ヒゲクジラたちはみな大きな口だけでなく大きな舌も持っているのですが、この舌で、口の中の海水とエサを前方に押しやります。

そうすると、びっしりと並んだヒゲ板の隙間から、海水だけがザザーッと外に出ていき、ヒゲ板の内側、すなわち口の中に大量のエサだけが残ることになります。ヒゲクジラはこうやってようやくエサを飲み込むことができるのです。

つまりヒゲ板は、口の中の海水からエサだけをこしとる役目を果たしていて、おかげでヒゲクジラはハクジラのように1匹ずつではなく、ひと口で大量のエサを食べることができるのです。

一般にハクジラの仲間よりもヒゲクジラの仲間たちに体が大きな種が多いのは、この「一気飲み」の食べ方を発達させたせいだと考えられます。

ヒゲクジラたちはこの方法で、魚だけではなく、もっと小さなオキアミのような動物プランクトンも大量に食べることができます。

以前はもっぱら「ヒゲクジラはプランクトンだけを食べ、ハクジラは魚やイカを食べる」と言われていました。

たしかに南半球に住み、エサを求めて南極海に集まるヒゲクジラたちは、ほとんどの種がオキアミというプランクトンばかりを食べているのですが、同じ種でも北半球で暮らすザトウクジラやミンククジラなどのエサはほとんどが魚で、イカを大量に食べていることもあります。

ハクジラとヒゲクジラでは、エサの種類というよりはエサの食べ方が違うので

ヒゲクジラの胃の中。オキアミ(上)や小魚(下)を食べていることがわかる。

す。

生き物に「絶対」はない！

さて、これまで生き物としてのクジラの話をたくさんしてきましたが、クジラに限らず生き物の世界は本当に不思議です。

その不思議さを表した私が好きな言葉に、生き物に「絶対」はない、というものがあります。

これは私が大学を卒業して初めて就職した水族館のK副館長から教わりました。じつは初めて聞いたときは、「ふーん、そんなものなのか」程度にしか思わなかったのですが、後年、クジラの研究の道を歩むようになってから、K副館長のこの言葉は何度も何度も記憶の彼方からよみがえってくるのです。

そう、生き物の世界に「絶対」はないのです。

物理・化学や数学の世界ならば、「△△の定理」や「○○の法則」がたくさんありますよね。

そして1＋1が2であるのと同じく、質量保存の法則やら万有引力の法則やら、「○○の法則」が限りなく「絶対」であるからこそ、難しい軌道計算の末に宇宙船が人間を乗せて月まで行き、潜水艇が水深1万メートルの深海まで調査に出かけて帰ってくることができるのです。

けれども生き物の世界は、「絶対」どころかいつも例外だらけです。例外が多すぎて、むしろ決まり事を多数決で決めているようなところがあるくらいです。

たとえば、クジラがほ乳類だという話で、「魚類は卵で生まれるがほ乳類は赤ちゃんで生まれる」と説明しましたが、じつはほ乳類の仲間でも、単孔目に分類されるカモノハシやハリモグラは卵を産みます。

また、魚類でもサメの仲間の一部は卵胎生といって、体の中で卵がかえり、子

オーストラリアにいるカモノハシは卵を産むほ乳類（イラスト：iStock）。

どもが出てくるという産み方もあります。
しかも、最近の研究では、シュモクザメなどはほ乳類の子宮と胎盤によく似た器官を持つことも明らかになってきたそうです。
ダチョウやペンギンは、鳥のくせに空を飛ぼうとせず、大地を走り回ったり海を泳いだりして暮らしています。その点ではクジラの仲間も同様で、ほ乳類なのに後ろ足がない！　というのも例外の1つですね。

もっと細かい話をすれば、たとえば、少なくとも私がクジラの研究の世界に入ったころは、「ヒゲクジラの多くは南北の季節回遊をするが、地球の北半球と南半球は季節が逆転するため、同じ種であっても両半球のクジラたちは決して交わらない（赤道を越えて回遊しない）」と言われたものです。

けれども近年、写真による個体識別（体の傷や模様で個体別の発見記録を残す調査）やバイオプシー（生体の皮膚の一部を採集して遺伝子を調べる調査）技術が発達した結果、南半球のザトウクジラがしばしば赤道を越えて北半球まで旅をしていることがわかりました。


オホーツク海でエサを食べるコククジラは、太平洋の東側を回遊するコククジラとは異なる系群（同じ種でも子どもを産む海域が異なり遺伝的に差がある群れ）で、絶滅寸前だとされていましたが、実際に彼らに発信器を装着して衛星で追跡したところ、少なからずの個体が東側のコククジラたちと合流していることがわかり、研究者たちをあわてさせています。

また、ヒゲクジラのエサの食べ方のところでもお話をしたように、以前は「ハクジラの仲間は魚やイカを食べ、ヒゲクジラの仲間はオキアミなどの動物プランクトンを食べる」という話が当たり前のように語られていました。たしかに南極海ではおおむねその話はあてはまるのですが、今やヒゲクジラたちの多くが大量の魚も食べることがわかっています。

考えてみれば、これら多くの事例は、単に私たちが「〇〇はこうだ」と信じていたものが、科学の進歩と研究の成果によって次々とくつがえされてきた結果にすぎません。

それを「絶対」と考えてしまうのは、勉強不足な人間のごう慢だといえるかもしれません。

生き物たちは、数式や法則にしばられることなく、常に生き残るためにしたたかな戦略をたてていきます。環境の変化や、ときには人間による捕獲や生息域の減少に対してすら柔軟に対応して、それまでの行動を変化させていくのです。

そして、その行動の変化はやがて長い年月をかけて、遺伝子の変化を伴う生物の進化にもつながっていくのでしょう。

しかも、その変化は必ずしも同じ種で同一に起こるものではありません。また、たとえ最新の科学で判明したことだって、いつかはくつがえされるかもしれないという点では以前と変わるところはなく、やはり「絶対」ではないのです。

生き物の研究に関わる人々はもちろんこのことを肝に銘じておかなければなりませんが、最近ではさまざまな分野で生き物の姿を人々に伝えるときにも、この点はずいぶん気をつかうようになりました。

たとえある研究成果や観察結果が最も新しく正しいと思っても、それが森羅万象に共通するかどうかはわからないがゆえに、表現も慎重にならざるを得ないのです。

日曜夜のNHKの有名な動物番組『ダーウィンが来た！』を観ている人はお気づきかもしれません。

動物たちの変わった行動や生態を説明するのに、さまざまな新しい研究成果が紹介されますが、番組中のナレーションは「○○と考えられています」と語ることはあっても、「○○なのです！」などと断定はめったにしません。

生き物の世界に「絶対」は絶対ないのです。
あれ、今度は私が「絶対」を使ってしまいましたね。

第2章 南極海にクジラの調査へ！

獣医師を目指した大学時代

生き物としてのクジラの話をしたので、今度はクジラを研究してきた自分のことを話してみましょう。

私は、日本のクジラ研究者の中では少し珍しいのですが、大学で獣医学を学んだ獣医師です。

なぜ珍しいかというと、私が大学を出た頃（1980年代）は、日本の著名なクジラ研究者たちのほとんどが水産学の出身で、クジラの解剖学などの分野で有名な先生方も、獣医学ではなくヒトの医学の出身でした。

これは、日本のクジラ研究の大きな目的が、捕鯨という水産業をおこなうために、種ごとのクジラの数や季節ごとの分布、また、クジラの数を減らさずに捕れる数を調べること（資源管理といいます）だったためです。

現在でもクジラ研究の主流が水産学であることは変わりませんが、今や研究者の専門は多種多様です。

遺伝子を分析する分子生物学者、クジラの声を研究する音響物理学者、クジラのエサを調べる海洋生物学者、化石の研究をする古生物学者などのほか、調査結果から現在のクジラの数を複雑なコンピュータプログラムを駆使して計算し、将来のクジラの数を予想したりする数学者も重要な役割を果たしています。

その意味では、これからクジラの研究者になりたい人にはさまざまな道が開けてきたといえるでしょう。


さて、私はといえば、獣医師になる大学に進学しましたが、最初からクジラの研究者を目指していたわけではありません。

野生動物にはそこその興味はあったものの、獣医師を目指したのは、「動物たちの命を救いたい！」などの強い意志があったわけでもなく、ただ単に「資格を取っておけば将来食べるのに困らないだろう」くらいのいい加減な気持ちでした。

当時の日本は、クジラはおろか野生動物の研究をする獣医師そのものがほとんどいない時代で、大学の授業で扱った動物は、牛や馬、豚といった家畜と伴侶動物（ペット）として犬くらいだったような気がします（本当はもっといろいろなことを教わったはずですが、単に自分が勉強しなかっただけかもしれません……）。

獣医師を養成する大学は6年制で、3年次からそれぞれ研究室に所属するのですが、私はぼんやりしているうちに人気のある研究室の定員が埋まってしまい、あまり人気のなかった生理学教室というところに入りました。

ここはたくさんの実験動物を飼育しており、研究室員は毎日ひたすらラット（ネズミの大きなやつです）とマウス（ネズミの小さなやつです）の世話と、管理データの収集に明け暮れました。

研究室にはモルモットやチンチラ、アフリカツメガエルなどちょっと変わった実験動物もいました。

今にして思えばなんだか動物園みたいににぎやかだったはずですが、実験動物を管理するということは、成長速度が遅いとか、子どもを産む数が少ないとか、均一な「規格」から外れた動物をどんどん処分することでもあります。

このため、研究室の毎日は生き物を殺す機会がじつに多く、動物を飼うことを楽しむような状況ではありませんでした。


あるとき、大学の食堂で友人と昼ご飯を食べながら、「なんだかオレは毎日この大学で一番、いやもしかしたら地域で一番動物を殺しているかもしれないよ。きっと自分の写真を撮ったら、肩の上に白いネズミの霊がどっさり写りそうな気がする……」とぼやきました。

すると友人は、「石川、安心しろ。オレはお前の何万倍、いや何十万倍も生き物を毎日殺しているが平気だ。自分だけ悩むことはないぞ」と言うのです。

じつは、彼は微生物学教室の所属で、実験のため培養したさまざまな菌を、毎

日オートクレーブという大型加熱殺菌装置で容器ごと処分していたのです。
大腸菌とネズミを比べられても……と思いつつも、落ち込む自分を元気づけようとする友人のはげましには、ちょっと感謝しました。

「やりたかったのはこれだ！」

そうこうするうちに、同じ大学の解剖学教室が、これからクジラの研究を始めるとの話を聞きつけました。

研究室の先生がイルカやクジラの標本を入手して、解剖学の研究をするというのです。その瞬間、自分の中で「やりたかったのはこれだ！」とひらめくものがありました。

今になってもその理由はよくわかりません。そのときまで、イルカも含めて生きたクジラなど見たこともなかったはずなのに、テレビやSF小説などに登場するイルカたちに何か神秘的なものを感じていたのかもしれません。

そのときから、私は自分にとって未知の生き物を研究するという話にすっかり取りつかれてしまいました。

大学ではふつう、一度所属した研究室は卒業まで続けます。しかし私は自分の研究室の先生にお願いして、なかば強引に解剖学教室に移籍してしまいました。

新しい研究室では、イルカを捕獲している港町まで死んだイルカを買い付けに行ったり、南極海から帰って来た捕鯨船にクジラの標本をもらいに行ったりしました。持ち帰った標本を研究室で解剖して、体の構造や胎児の成長を調べました。

そうこうするうちに、大学も卒業の時期が近づきます。

しかし、なにぶんにもなまけ者の私は、獣医師の国家試験に受かることだけで頭がいっぱいで、就職活動らしいことをほとんどしませんでした。

卒業が近づきようやく重い腰を上げたころには、公務員試験や企業などの採用試験の多くはとっくに過ぎている始末です。

でも、せっかく獣医師の免許を取るからには、動物を診療する獣医師（臨床獣医師）にはなりたい。

ワークルール

…）

…な職業につこうかな？」
…です。アルバイトはもち
…ときの決まりごと＝ワー
…おきましょう。

となりの難民

日本が認めない99％の人たちのSOS

織田朋子（外国人支援団体「編む夢企画」主宰）著

3刷

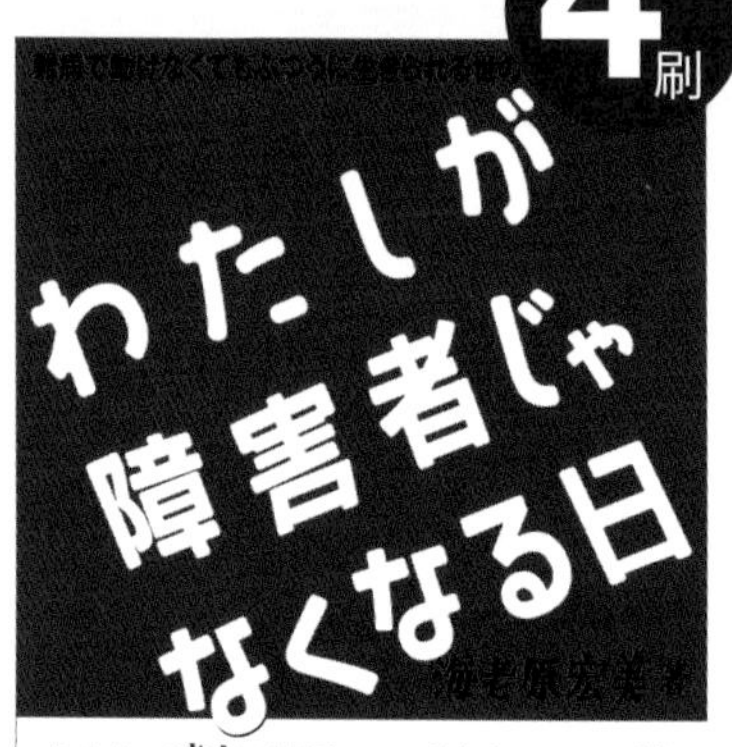

4刷
わたしが障害者じゃなくなる日
海老原宏美 著
わたしに障害があるのは、あなたのせいです。
そう言ったら、おどろきますか？
難病をかかえ、人工呼吸器とともに
生きる著者からのメッセージ。
みんなの思いが重なって、社会が変われば、
障害なんてなくなるんだよ

わたしが障害者じゃなくなる日

難病で動けなくてもふつうに生きられる世の中のつくりかた

海老原宏美 著

「人は、ただ地面が盛り上がっただけの山を見て感動できるのだから、人間である障害者に感動できないはずがない。必ずそこに価値を見いだせるはず」。難病をかかえ、人工呼吸器とともに生きる著者からのメッセージ。

本体1500円＋税

臨床獣医師には、人間のお医者さんのように「内科」「外科」「小児科」などの進路はありません。代わりにウシやウマなどを診る「大動物臨床」、イヌやネコなどを診る「小動物臨床」などがありますが、必ずしもはっきり分かれているわけではなく、さらに極めて特殊な道として動物園の獣医師という道もありました。

私は「どうせ獣医師になるのならば、自分の一番好きな動物の獣医師になろう」と考えました。

さて、自分の好きな動物って何だろう？　と考えたときに、またしても「そうだ、イルカだ！」とひらめいたのです。

とは言うものの、イルカは野生動物だから海まで診療には行けませんし、個人でイルカをペットにしている人も、少なくとも日本では聞いたことがありません。

そこでイルカを飼っている水族館に就職することにしたのです。

水族館の獣医師になる

今でこそイルカを飼う水族館で獣医師の存在は珍しくありませんが、私が大学を卒業した1985年当時、日本の水族館で獣医師がいるところはほとんどありませんでした。

「イルカの獣医」と呼べる人は、おそらく日本中で5人に満たなかったと思います。大学ではもちろんイルカの病気など教わりませんでしたし、教科書もありません。わずかに海外で出版された本や論文があるだけでした。

たまたま獣医師を探しているとうわさを聞いた三重県の水族館に就職したまではよかったのですが、ふだんの仕事は飼育員と同じです。

水族館の仕事は朝の見回りから、エサの準備とエサやり(給餌)、飼育プールや水槽の掃除などいろいろです。

エサは毎日冷凍された魚を解凍して包丁でさばいていきます。小さな魚たちのエサにするためには、解凍した魚を3枚おろしにして細かく切ります。

おかげで包丁さばきだけは上達しましたが、毎日バケツや水槽を洗っていても、獣医師の腕は上達しません。

そもそも水族館ですから魚はたくさんいますが、動物園とは違い、たくさんのほ乳動物を飼っているわけではなく、獣医師としての治療の機会はあまりありません。

一方で、いざ動物の具合が悪くなっても、今度はろくな経験も技術もないものですから、治療らしい治療もしてやれないまま死なせてしまうこともあり、そんなときは自分が情けない限りでした。

けれども次第に「治療が難しいならば、まず病気にならないように動物の飼育環境をよくしよう」と考えるようになり、プールの水質改善やエサの衛生管理に取り組むようになりました。今でいうところの予防医学ということになりますが、少しずつながら成果は出ていたように思います。

お気に入りのアザラシたち

動物の病気さえ出なければ、毎日は平和なものです。

私のいた水族館にはさまざまな種類の海の動物たちがいました。海草のアマモを食べるジュゴン、貝を器用に割って食べるラッコ、付近の海に住む小型クジラのスナメリ、上手なショーをするアシカ、丸々と太ったアザラシなどです。

中でも私のお気に入りはアザラシたちです。バケツにエサを入れて飼育室に行くと、大きな目をぱっちり開けてこちらを見て、入って来たのが誰だかわかると、水から上がって自分たちの定位置、すなわち私の両側に並んで陣取ります。

1頭ずつ名前を呼びながら順番にエサの魚を手から食べさせてやるのですが、

順番が待ちきれないと、さいそくするように短い前足で私の足を盛んに引っかきます。

あるとき、エサを食べるときに勢い余って私の手までかんでしまったアザラシがいたのですが、このときはその子のほうがびっくりして、ただでさえ大きな目をさらに見開いてこっちを見つめます。

私にはアザラシが「しまった！」とばつの悪そうな顔をしているように見えて笑いをこらえるのが大変でした（エサの時間はガラスの向こうでお客さんが見ているので、人間も行儀よくしていなければなりません）。

アザラシたちは健康診断のため、定期的に体重測定や血液検査もしました。現在の動物園や水族館では、採血などをする際には動物たちにストレスを与えないように、あらかじめ動物たちに訓練をして、人間が動物にあまり触れることなく処置ができるようにしているところがほとんどです（イルカたちの場合なら、水面から自分で尾ビレを出して採血ができるように訓練します）。

けれどもその当時は、健康診断は飼育プールの水を抜いて、みんなで動物たちを捕まえておこなう大がかりな出来事でした。

朝からプールの水を抜き始めると、健康診断の時間には、プールの底で乾いたアザラシたちがごろごろと転がっています。

水中では素早く泳ぎまわるアザラシたちも、こうなってはよちよちと前に進むことしかできず、簡単に捕まえることができます。

採血のためにアザラシに体をおおいかぶさるようにして軽くおさえ込むと、乾いたアザラシたちの体はとても暖かく、その美しい毛皮に顔をこすりつけるとかすかに獣の匂いがして、なんだかとても幸せな気持ちになったものです。

〝物知り〟になりたくて研究者の道へ

動物たちを相手の日々はなかなか楽しかったのですが、次第に「自分はこのままでいいのだろうか？」と考えるようになりました。獣医師としてもっと腕を磨くためには、診断や治療の経験を積める職場に移るべきではないか？　海のほ乳類をもっと知るためには、研究者としての道を進むべきではないか？　どちらかを決めるときだと思い、悩んだ末に、自分は研究者になろうと決意したのです。30歳になる少し前のことです。

正直に言えば、研究者になりたかったのは、とくに勉強が好きだったからというわけでありません。

研究というのは、本来は自分の専門分野を一生懸命勉強して難しい論文を書くような世界ですが、私はそのような研究者より〝物知り〟になりかったたというところでしょうか。

水族館ではいちおう、「海の動物の獣医師」という珍しい存在だったので、〝専門家〟として人から何かをたずねられることも多かったのですが、ろくに勉強もしていない獣医師では、たいした知識も技術もありません。

でも、質問を受けて「わかりません」と答えるのが恥ずかしくて嫌だったのです。人々のどんな疑問にも答えられる、百科事典のような〝物知りの専門家〟は、私のひそかな目標でした。

かくして私は〝クジラの専門家〟になるべく、南極海でクジラの調査を始めたという日本鯨類研究所というところに転職することにしたのです。

調査捕鯨の現場に飛び込む

私が転職した日本鯨類研究所は、調査捕鯨という仕事をやっていました。調査捕鯨とは一体何でしょうか。

日本は、古くは縄文時代から現在に至るまで長く捕鯨をおこなっていますが、かつてはヨーロッパやアメリカなどの国々もまた、世界中の海で競うように捕鯨をしていました。

欧米の国々が熱心に捕鯨をしたのは、クジラからとれる「鯨油」と呼ばれる油が、灯火の燃料や化学製品の原料など、現在の石油と同じくらい重要な物資だったからです。

けれども、技術の開発が進み、石油などからさまざまな化学製品が生産される

国際捕鯨委員会（IWC）は捕鯨の国際的管理をおこなっている。

ようになると、鯨油は次第に利用価値が失われ、多くの国の捕鯨産業は消滅していきました。

一方、日本の捕鯨が消滅しなかったのは、日本人がクジラを油だけではなく、食料として利用し続けてきた長い歴史があったからです。

世界の捕鯨を管理する組織として、国際捕鯨委員会（ＩＷＣ）があります。もともとは捕鯨をする国々が加盟し、毎年の捕獲枠（獲ってもよい数）や捕鯨の国際的な規則を決める場所だったのですが、海外の捕鯨産業が次第に下火になってくると、「捕鯨なんか止めてしまえ」という国々が増えてくるようになりました。

欧米を中心に環境保護運動が盛んになり、「捕鯨による乱獲でクジラたちは絶滅の危機にひんしている」という考え方が広がっていったのです。

捕鯨に反対する国が急増した結果、IWCは1982年にとうとう商業的な捕鯨を10年間停止することを決議してしまいました。

ただ、この決議の困ったところは、IWCが管理していたすべてのクジラの商業捕鯨を停止してしまったことです。

この本の最初でも紹介したように、ひと口にクジラと言ってもたくさんの種類がいます。その中には本当に絶滅の危機にある種類もあれば、たくさんの数が生息している種類もあるわけです。

IWCには科学的な助言をおこなう「科学委員会」という組織があり、そこでは「絶滅の危機にある種はすでに捕獲禁止（保護種）にされているので、すべての種の捕鯨停止は科学的な根拠がない」と最後まで全面的な捕鯨停止を支持しませんでした。

すでに数少なくなっていた日本などの捕鯨国も、すべての種を対象にした捕鯨停止はおかしいと反対しましたが、もはや捕鯨反対国の数は圧倒的で、なすすべもありませんでした。

調査捕鯨は、国際条約で認められた捕鯨の手法です。

日本は、夏の南極海にエサを食べに集まってくるクロミンククジラは十分な頭数がいるので、捕鯨をおこなっても種の存続を脅かすことはないと考えていました。

そのためまず調査捕鯨をおこない、クジラの年齢や出産率などを調べるとともに、同じ種でも遺伝的な差がある群れ（系群と呼ばれます）の分布などを調べ、系群ごとにきちんと管理した捕鯨が将来にわたってできることをIWCに示して、商業捕鯨の一時停止を解除してもらおうとしたのです。

新米調査員、人生の大冒険へ

もっとも、新米の臨時調査員だった当時の私は、そんな難しい捕鯨の事情よりも、生まれて初めて外洋の船に乗り、赤道を越えて南太平洋のさらに南にある南極海まで行くという、人生の大冒険で頭がいっぱいでした。

横浜の港を出港する大きな調査母船に乗り込んだ私は、赤道を越えたところで合流してきた「目視採集船」と呼ばれる小さな船での調査員を命じられ、洋上で船を乗り換えました。

調査捕鯨は1隻の船でおこなうわけではありません。

クジラを探すための目視調査をおこない、生物調査の対象となるクロミンククジラを捕獲する3隻の「目視採集船」(かつてはキャッチャーボートと呼ばれました)と、

調査捕鯨は調査母船、目視採集船、目視専門船で船団を組んでおこなう。

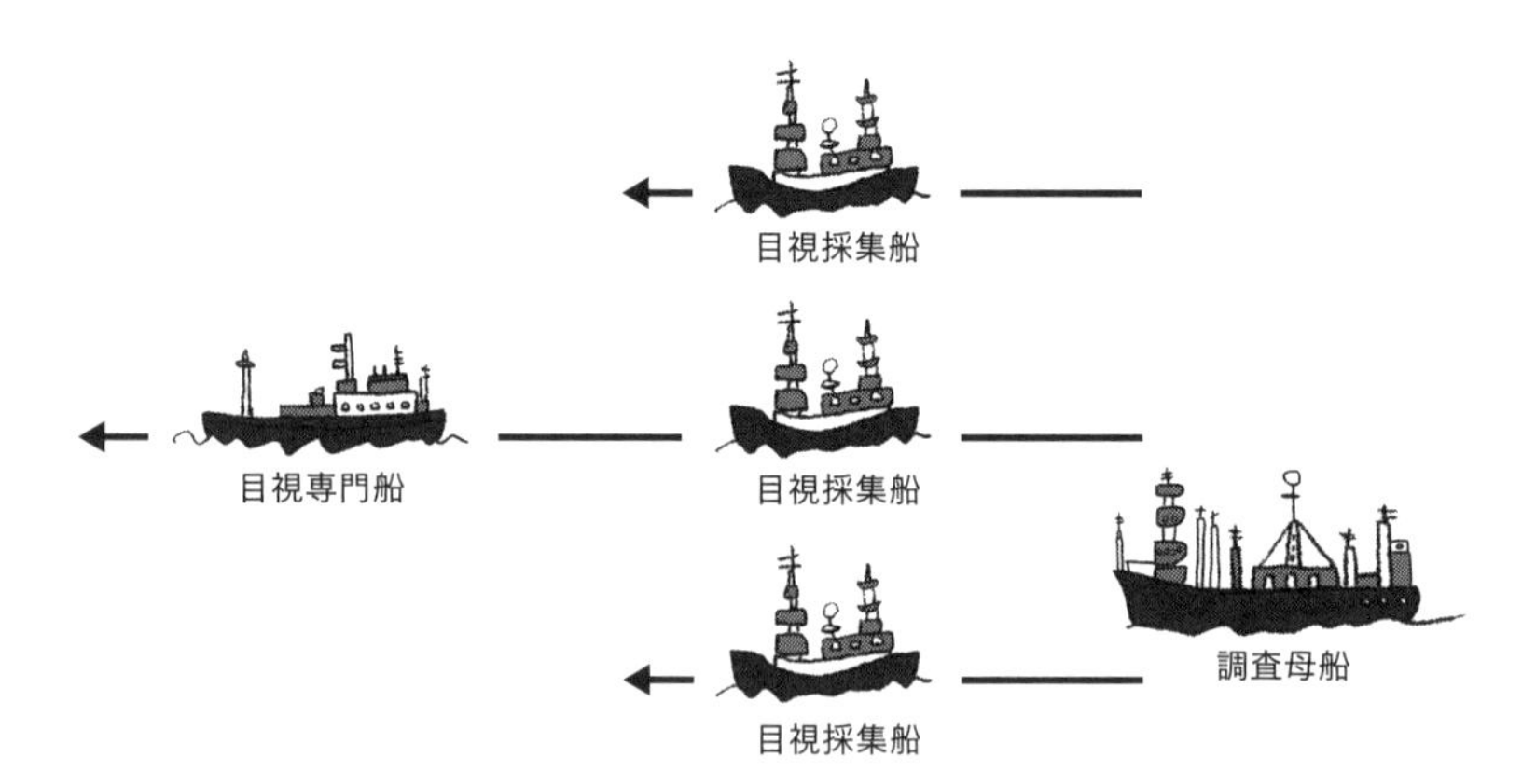

捕獲したクジラを解剖して生物学的な調査をおこなう大きな「調査母船」で船団を組んでおこないます。

後年には、さらに海洋観測やクジラの食べるエサの調査もおこなう「目視専門船」も加わり、最も調査の規模が大きかった頃は船だけで合計6隻、乗組員や調査員は総数250名を超える大所帯でした。

調査捕鯨が始まって間もない頃の船の乗組員たちは、かつて商業捕鯨をおこなっていた熟練の鯨捕りばかりでした。

一方、新米の調査員として目視採集船にただ一人乗り移った私はといえば、クジラのことは多少知っていても、およそ海のことや船のことは何も知りません。

船の乗組員たちのそれぞれの仕事内容や、8時間ごとに交代する勤務体制、海図の読み方などは、船で調査をする上であらかじめ知っていなければならないことばかりなのですが、水産学ではなく獣医学出身の私はこれらのことを何ひとつ知らず、覚えるまでにはずいぶん苦労しました。

たとえば、船での調査はあらかじめ海図上に設定されたコースラインに沿っておこなうのですが、クジラを発見したり観察したりしたあとは、そのコースラインに戻らなければなりません。

けれども何ひとつ目印のない大海原では、陸のように交差点で標識を見て道を曲がって何軒向こうまで行く、というわけにはいきません。

コンパスの見方や海図の読み方を知らない私は、船が舵を切った瞬間に、自分がどちらを向いているのかすらわからなくなり、ましてやどの方向に船を向ければ正しくコースラインに戻れるかもわかりません。

また、海で生きている野生のクジラなど見たこともなかった私は、双眼鏡を渡されても、自分でクジラを見つけることはおろか、「ほれ、そこにいるぞ」と真横に座る船長に言われても、どこにクジラがいるのか最後までわからないこともしばしばでした。

さらに船を乗り移って翌日には、それまで経験したことない激しい船酔いにお

そわれました。

　食事がのどを通らないどころか、最初の3日ほどは水を飲んでも吐いてしまうため、自分でも驚くほどやせていきました。

　今となっては笑い話ですが、毎日腰のベルトの穴が1つずつ奥にずれるほどやせ、体脂肪がげっそり落ちたために体の筋肉がくっきりと現れたもので、「うわ、オレこんなに腹筋があったんだ！」などと妙に感心をしたものです。

　不思議なことに、そんな激しい船酔いも体を横にするとうそのようにぴたりとおさまるので、眠るのには苦労しませんでした。

　けれども、船の乗組員たちから「横になっていてはいつまでも慣れないぞ」と教えられましたし、何よりも目視採集船の調査員は自分一人しかいないので、なんとしても仕事をしなければなりません。

仕方なくビニール袋を作業着のポケットに何枚も詰め込み、人前でもおかまいなくゲーゲー吐きながら、用があろうがなかろうが船酔いを克服するため青ざめた顔で船内を徘徊していました。

そんな情けない状態の自分に乗組員たちは、「船には酔い止めなどないぞ」と言って特別に気づかう人は誰もいませんでしたが、笑う人も誰一人いませんでした。

あるとき、老練の甲板長（ボースン）が、「わしも初めて捕鯨船に乗ったときは、そりゃあひどく酔ったもんだよ」と声をかけてきました。

「え、ボースンでも船に酔ったことがあるんですか？」と聞きつつ、そのとき初めて、みなが自分を放っておいた理由に気がつきました。

私が職場として船に乗り込んだそのときから、乗組員たちは私を一人の船乗り

生物調査の責任者として調査母船に乗っていた頃。右端が著者。

として扱ってくれていたのです。本職の船乗りですら最初は船に酔うことはあり、それは決して恥ずかしいことではないのです。

　でも、もしあのときに気分の悪さに負けて部屋にこもって寝ていたなら、彼らは私を部外者の客人としては見ても、決して船乗りとしては扱ってくれなかったでしょう。以来30年が経ち、私は未だに船に強い体質ではないのですが、たとえ船に酔っても仕事を続ける気力だけは身についたように思います。

5カ月間ずっと船の上

南極海の調査捕鯨船団は、毎年11月の初め頃に出港し、翌年の3月終わりから4月初め頃に帰っていました。

日本では冬の季節でも、南半球の南極ではこの時期が夏にあたり、海の氷が解けてクジラたちがエサを食べに集まってくるのです。

5カ月にわたる航海ですが、往復だけで2カ月かかるので、実際に南極海で調査をするのは3カ月ほどです。

今でこそ、不自由ながら洋上でも衛星回線を使ってインターネットが使える時代になりましたが(ただし通信料がものすごく高いのがつらいところです)、私が船に乗り始めた頃は、陸上との連絡は通信室にある無線電話かファックスくらいしかなく、乗船中は世間から隔絶されたような気分になったものです。

調査船の背景に広がる雄大な南極大陸。

1年のうち半分近くの間、テレビを見ることもない生活が続いたおかげで、未だに私は1990年代に流行した歌や言葉、芸能人などについてあまりなじみがありません。

自分の仕事を周囲の人たちに説明するのに、「南極海でクジラの調査をしています」と言うと、よく「南極観測隊ですか?」と聞かれたものです。

「しらせ」のような大きな砕氷船に乗って南極へ向かう南極観測隊とは、国の事業をしているという点では共通しているのですが、南極観測隊が国の組織なのに対し、調査捕鯨は民間団体（日本鯨類研究所）が国から補助金を受けておこなうという制度上の違いがあります。

けれども最も大きな違いは、南極観測隊が南極大陸という陸地で調査をするのに対し、調査捕鯨は南極海という海で調査をするという点です。

調査捕鯨船団は、日本を出港してから帰ってくるまでの間、南極大陸に上陸するどころか、途中どこの港に立ち寄ることもなく、5カ月の間ずっと船暮らしです。南極の海も夏の盛り（2月の初め頃）になると海の氷もだいぶ解けてきて、大陸のすぐそばまで船で近づけることがあります。

そんなときは雄大な南極大陸を目の前にして、「いつか必ず大陸に足を降ろしてやるぞ〜！」と何度も思いましたが、残念ながらその夢はまだかなえられていません。

また、南極海の景色と聞くと、よく写真で見るような、真っ青な空、真っ青な海、そして真っ白な氷山といった目にも鮮やかな風景が思い浮かぶことでしょう。

夏の終わりの南極海は毎日のように大荒れ。

たしかにその通りなのですが、じつは南極ではそのような絵になる天気のいい日はそれほどありません。

ほとんどの場合は灰色の空、灰色の海、そして白い氷山といったところで、実際は色彩のとてもとぼしい世界です。

おまけに3月の初め頃、南極海の夏が終わりに近づくと、毎日のように激しい時化になり、海は大荒れになります。

そんな海で3カ月を暮らし、ようやく調査を終えて日本に向かって帰る途中、赤道付近の穏やかな海に浮かぶ島々を遠くに見ると、熱帯雨林の緑の鮮やかさがものすごく美しく目に焼きつきます。

調査捕鯨に行くようになって何年かの間は、日本に帰ってからも山の緑がやたらに美しく感じられ、以前ならば気にもとめなかったような小さな山の木々が、風でざわざわと揺れてなびいているのを見ると、いつまでもあきずに眺めていたものです。

船団を率いる調査団長に

最初は南極海への大冒険は1回で十分だなどと思っていたのに、毎年のように南極海を往復するようになり、いつの間にか乗船回数は10回を超えました。

かつては大冒険の乗り物だった調査船の部屋も、何度もの航海で乗り込むと、まるで第2の我が家のように懐かしく感じられてしまうようになりました。

赤道を越えてようやく到着した色彩のない南極海も、氷山から運ばれてくる冷たい空気の匂いをかぐと、「ああ、またここに帰ってきた」と、東京の職場では感じられない気持ちで胸が高まるのでした。

毎年のように長い航海を繰り返している間に、世界では大きな事件がたくさん起きました。

ある年にはベルリンの壁が崩壊し東西ドイツが統一され、ある年にはソビエト連邦がなくなり、船に乗っている間に湾岸戦争が始まり、船を降りる頃には終わっていました。

阪神淡路大震災も、東日本大震災も、船の上での出来事でした。

最初は臨時調査員だった私は、やがて母船の生物調査の責任者となり、ついには船団を率いる調査団長になっていました。

調査団長は、母船の指令室で日々の調査活動を決定し、船団の各船に指示を出すとともに、状況に応じて調査計画全体を調整する多忙な仕事です。

限られた日数で調査する海域すべてを回るためには、船団を1日でどのくらい進めるのか、天候が悪い日が続いた場合はどうするのかなどを常に考えなければなりません。

また、クジラの調査船は、南極観測隊が使うような砕氷船ではありませんので、調査コースを決めるためには、衛星写真などを使って大陸から張り出す氷の位置を調べ、その時点で自分たちの船がどこまで南に下がれるのか（大陸まで近づけるのか）を予想することも重要な仕事です。

責任が重い分、やりがいのある仕事でしたが、じつは一番苦労したのは調査に対する妨害活動への対応でした。日本の調査捕鯨は、捕鯨に反対する海外の環境保護団体から激しい妨害を受けていたのです。

環境保護団体とのたたかい

調査捕鯨は国際条約で認められた制度で、商業捕鯨を再開するための科学データを集める目的で始まりましたが、捕鯨に反対する国々の目には、「日本は国際的な決まり（ＩＷＣが決定した捕鯨一時停止）を守らずに、調査を理由に商業捕鯨を続けている」と映りました。

とくに捕鯨に反対する海外の環境保護団体は、日本の調査捕鯨に激しく反発して、はるばる南極海まで自分たちの船でやって来て調査の妨害をするようになったのです。

最初は「グリーンピース」と呼ばれる環境保護団体でした。

彼らは最初の頃は船の前で「捕鯨反対」などと英語で書いたプラカードを掲げ

て、その姿を欧米の報道機関に流して国際世論を味方にすることを主な目的にしていたので、あまり危険はなかったのですが、次第に過激な方法で調査の妨害をするようになりました。

危険な作業中の乗組員に放水をしたり、船の備品を壊して盗んだりするようになり、互いの船の接触や衝突事故もしばしば起きるようになったのです。

私たちの側もさまざまな妨害対策をとりましたが、こちらから彼らを傷つけたりするようなことは決してできません。

グリーンピースのような大きな環境保護団体は、海外の報道機関（マスメディア）に対して、大きな影響力があります。

たとえば、クジラの捕獲の妨害に来たボートのそばで捕鯨砲を撃ったとき、彼らは自分でボートから海に入り（もちろん防寒防水の高価なスーツを着ています）、海に浮かぶ人の姿を撮影して「日本の捕鯨砲の発砲でグリーンピースの活動家が海に跳ね飛ばされた！」と世界中に発信しました。

環境保護団体による妨害。船をぶつけてきたり、薬品を撃ち込んできた。

彼らの船が近づきすぎて接触事故が起きると、「日本の船が体当たりしてきた！」と発信します。

グリーンピースから報道機関に流される圧倒的な量の情報は、事実とかけ離れた話ですら世界中に伝えられてしまうため、私たちもうかつな行動をとって彼らに利用されないよう、慎重に対応せざるを得ないのです。

さらに、グリーンピースのあとから出てきた「シーシェパード」という団体の妨害はもっと深刻でした。

彼らは最初から、調査船を破壊したり、乗組員を傷つけたりすることをためらわない暴力的な行動をとってきたのです。

彼らは環境保護団体を名乗ってはいますが、調査船のスクリューや舵を壊すために大量のロープやワイヤーを海に投げ込んだり、「酪酸」という薬品を詰めたガラス瓶を船に投げ込んだり、ときには強力な空気銃で薬品瓶を撃ち込んできたりしました。

ちなみに南極海では国際法によってゴミの投棄は固く禁じられていますし、酪酸は人体に有害なため環境に放出してはいけないとされています。環境保護を名乗る団体のすることとはとても思えないのですが、彼らは「クジラを守る」という目的のためにはほかのことはおかまいなしです。

私たちの側にも怪我をする者が何人も出ましたが、彼らも平気で船の体当たりをしてくるため、どちらの側に死傷者が出てもおかしくない状態が毎年のように続きました。

もし、双方どちらかにでも死者がでるようなことがあれば、国の事業としておこなわれている調査捕鯨を続けることは難しくなってしまいます。

危険を避けるためには、彼らと遭遇しないように逃げ回るしかありません。

インターネットの情報などを探って彼らの船の位置を推測し、付近にいることがわかれば相手に見つかる前に船団を移動させることを繰り返します。

次第にクジラの調査活動よりも妨害を避けることのほうが重要な課題となり、調査の目的が達成できない年が続くようになりました。

なぜ取り締まれないのか？

みなさんの中には、本当にそんなに危険な暴力を受けるのならば、どうして誰も彼らを止めたり、取り締まったりしようとしないの？　と思う方もいるでしょう。

私もまったくそう思いました。

日本には警察や海上保安庁、さらには自衛隊だってあるのに、なぜ日本国民である私たちを助けてくれないのか？　暴力をふるう海外の活動家たちの国、妨害に使う船が登録されている国（船籍国）は、なぜこのような危険なふるまいを許しているのか？

調査捕鯨を管轄する水産庁の人たちにはずいぶん文句を言ったものです。

じつは日本の警察も政府も、決して何もしなかったわけではありません。けれども南極海はどの国にも所属しない「公海」であるため、日本の法律では彼らを直接取り締まることができないのです。

もし、日本の領海で同じような行為があれば、たちまち海上保安庁の巡視船が駆けつけて彼らを取り締まるでしょうし、また暴力をふるった人が特定できれば、日本の港に船が入ったときに警察が彼らを逮捕することも可能でしょう。

けれども公海上では、船が沈められそうだとか人が殺されるだとか、よほどのことがない限り、日本の法律に基づいて行動する警察官や海上保安官は、たとえ現場にいても何もできないのです。妨害を行う彼らもそのことをよく知っているために、公海である南極海ではやりたい放題のことをするのです。

実際、南極海での妨害行為が激しくなった頃に、日本の調査船に海上保安官が警備のために乗ってくれたこともありました。

それはそれでとてもありがたかったのですが、海上保安官からは、「私たちが活動できるのは、日本の法律が適用できる日本の船の中だけです。だからもし、彼ら（活動家たち）がこの船に乗り込んでくれれば、ただちに取り押さえて逮捕します。けれども自分たちから彼らの船に対しては何もできません。逆に、あなたたち（調査船の乗組員）が彼らに対して反撃をすれば、あなたたちを逮捕しなければいけなくなるかもしれません」と警告されました。

現実はかくも厳しいのです。

また、日本政府も、妨害船の船籍国や、活動家たちの所属する国々の政府に対して、妨害を止めさせるようさまざまな要請をしました。しかし、そもそもそれらの国々は日本の調査捕鯨に対して批判的でしたから、まともに対応してくれる国はほとんどありませんでした。

私が最後に南極海の調査に行ったのは2010~2011年の航海で、自分にとっては14回目の南極行でしたが、この年もシーシェパードから激しい妨害を受けました。

調査船団の中では調査母船の速力が一番遅いため、母船が彼らの船に見つかってしまうと逃げ切ることが難しく、調査活動も続けられません。

このため、さまざまな方法でこちらから先に彼らの船を見つけ出しては、船団の中でも速力の速い船を監視につけるなどの対策を取るようにしました。

相手も船の数を増やしていますので、監視のためにこちらの船を使えば、当然調査の内容も薄くなってしまいます。

また、監視対象の船が母船に近づいてくるようなことがあれば、たとえ調査活動中でもすぐに現場を離れて遭遇を回避しなければなりません。

こうなってくると、もはや調査をおこなっているのか、妨害団体から逃げ回っているだけなのか、わからないような状況です。

この年は何度か母船が見つかりそうになったのを間一髪でかわしていたのですが、とうとう最後には発見されてしまいました。

シーシェパードの船からは一晩中、発火弾や酪酸瓶などが母船に投げ込まれ、証拠撮影のために外に出ていた私も危うく割れたガラス瓶ごと酪酸を頭からかぶるところでした。

その後は彼らの船の燃料が先に切れることを期待して、長い距離をひたすら走り続けましたが振り切ることができず、結局、乗組員の安全を確保するという日本政府の判断で、調査を途中であきらめて帰ることになってしまいました。妨害のために調査そのものを止めたのは、長い調査捕鯨の歴史でも初めてのことでした。

日本に帰る途中、東日本大震災が発生

暴力に負けて調査を投げ出して帰ることは、涙が出るほど悔しかったのですが、それどころではなくなりました。

南極海から日本に帰る途中で東日本大震災が発生したのです。

日本からはるか離れた洋上では、東北で大災害が起きたことはわかっても、それがどれほどの被害をもたらしたのかがなかなか把握できません。

調査船団には、母船だけでも宮城県の石巻、女川、岩手県の大槌など、被災が伝えられる地域出身の若い乗組員たちが何人もいました。

この頃には船にも乗組員用の船舶衛星電話が備えられていたので、毎晩電話機には自宅と連絡を取ろうとする若者たちが列を作りましたが、ほとんどが通じません。

一方、船の中で最もインターネット環境がよかったのは、調査団長の私や調査員が仕事をする事務室だったため、電話が通じない若者たちは、夜な夜な事務室を訪れて「何かわかりませんか」と聞いてきます。

しかし、私たちもいくつかの記事やニュースを入手できてはいたものの、詳しいことは報道機関ですらまだわからない状況です。

「陸上では会社(調査船を運航する船舶会社)も必死になってみんなの家族と連絡を取ろうとしている。君たちの家は、もしかしたら失われてしまったかもしれないが、家族の無事だけは信じなさい」と答えるのが精一杯でした。

じつはこのとき、インターネットからわずかに入手できていた報道記事の中に、想像を絶する惨状の被災地の写真もいくつかあったのですが、がれきの山となった故郷の姿は最後まで彼らに見せることができませんでした。

震災から10日が経過した3月21日に、調査母船は東京に入港しました。母船はただちに大量の支援物資を積み込んで被災地に向かうことになり、調査団長だった私は、船を下りてすぐに農林水産省への報告を命じられて霞ケ関に向かいました。

久しぶりに帰って来た東京の街は、電力節約のために地下鉄の駅も薄暗く、私には街中が震災の喪に服しているような気がしたことを今でも忘れられません。

第3章 なぜ捕鯨問題は解決できないのか？

人とクジラの長い歴史

これまで、現在の捕鯨には欧米を中心とした国々が反対していること、南極海の調査捕鯨では反対する環境保護団体が激しい妨害をしてきたことなどを書きました。

でも、なぜ彼らはそれほどまでに捕鯨に反対し、また、クジラを守るという名目で暴力をふるってまで調査をじゃましようとしたのでしょうか？

それには、日本と外国における人とクジラの関係の長い歴史を知る必要があるでしょう。

今でこそ食卓ではあまりなじみがなくなってしまいましたが、日本人は昔からクジラを食べていました。

江戸時代にはすでに日本のあちこちで捕鯨がおこなわれ、昭和の半ば頃までの生まれの人たちは、みなクジラを食べて育ったといってもいいでしょう。

21世紀の現在では、クジラを食べる人はだいぶ減りましたが、小規模ながら捕鯨は続いていますし、ずっと昔から捕鯨をやっていた地域では、今でもスーパーマーケットにクジラの肉が並んでいます。


では、クジラの肉を食べるのは、日本人だけなのでしょうか？

いいえ、そんなことはありません。

意外に思われるかもしれませんが、日本以外に現在でも捕鯨をおこなってクジラを食べている国はいくつかあり、ノルウェー、アイスランド、アメリカ、ロシア、デンマークなどがそうです。

このうちノルウェーとアイスランドは、日本と同じように捕鯨会社が商業的にクジラを捕っています。

アメリカ、ロシア、デンマークなどは、伝統的に捕鯨をしてきた先住民に限っ

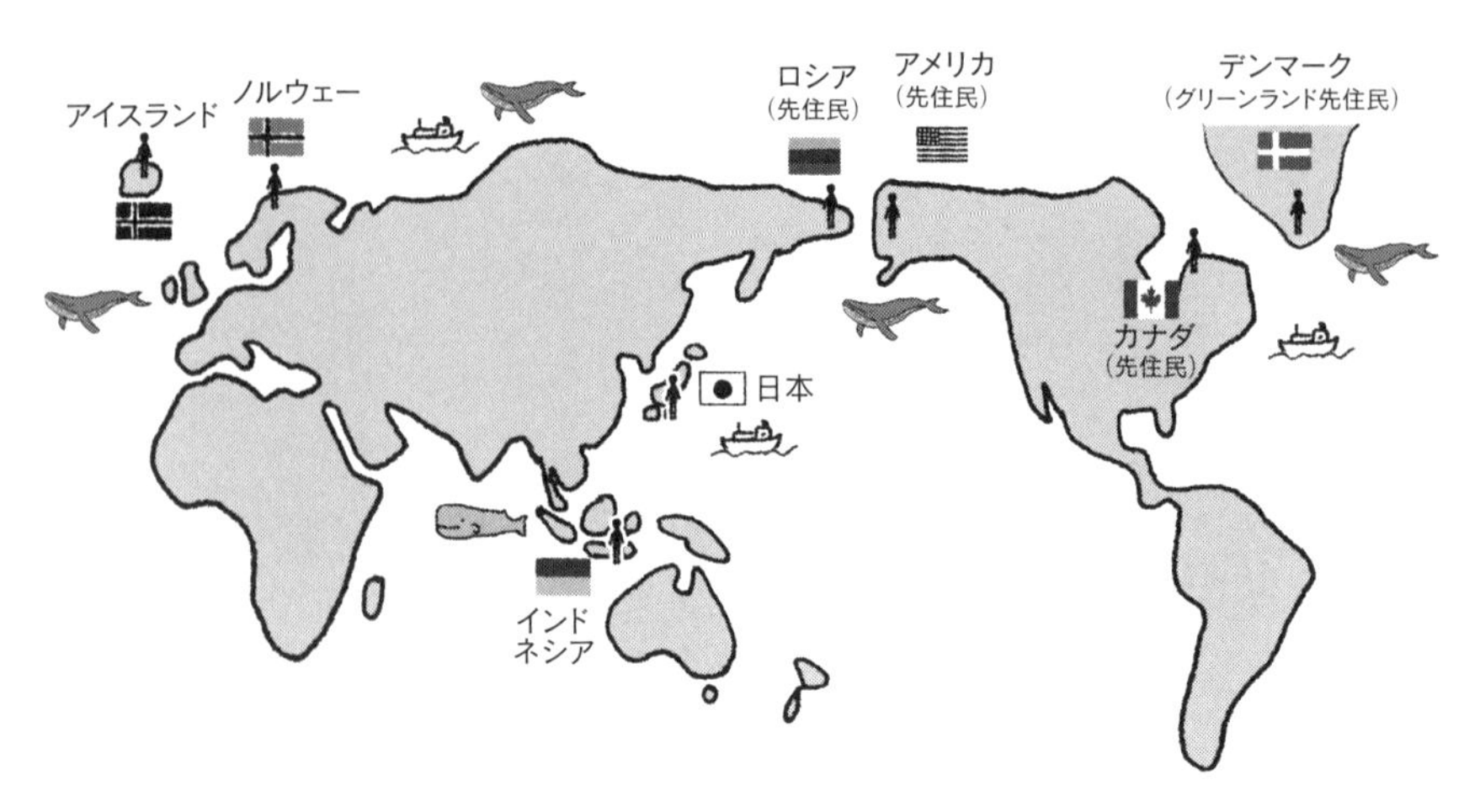

日本以外にも、ノルウェー、アイスランド、アメリカ（先住民）、カナダ（先住民）、ロシア（先住民）、デンマーク（グリーンランド先住民）、インドネシアなどが現在も捕鯨をおこなっている。

て捕鯨が認められており、アメリカはアラスカのエスキモーの人々、ロシアはベーリング海に面したチュコトカに住むチュクチの人々、デンマークはグリーンランドに住むイヌイットの人々が捕鯨をしています。

このほかにも、カナダやインドネシアなどでも一部の地域で捕鯨が続けられています。

アメリカは他国の捕鯨には反対しているのですが、自分の国では捕鯨をやっている不思議な国です。

これは、先住民の捕鯨をする権利が、捕鯨を禁じる法律より強いためですが、アメリカから捕鯨を止めよと批判されるほかの捕鯨国から見れば、なんともおかしな話です。

ただ、国名だけをあげていくと、それなりの数の国が捕鯨国になるのですが、先住民を除けば、欧米の国々でクジラを食べる人々はノルウェーとアイスランドくらいのものです（デンマークのフェロー諸島でも小型のクジラを食べます）。

では、なぜほかの欧米の人々はクジラをまったくと言っていいほど食べないのでしょうか。

昔はみんなクジラを食べていた

クジラを食料としていたという意味においては、おそらくは世界中で、少なくとも海岸近くに暮らす人々は、大昔からクジラを利用していたはずです。

海に生まれ、海に死ぬクジラたちは、しばしば弱った状態で海岸に座礁したり、死んで間もない状態で流れ着いたりします。

海岸で魚を捕ったり、海草や貝類などを採集したりして暮らしていた人々にとっては、そのようなクジラたちはまさに神様がくださった海の恵みにほかなりません。


クジラの肉は一時の食糧だけでなく、干しておけば保存食にもなります。また、分厚い脂皮は食料となるだけでなく、そこから大量に採れる油(鯨油)は灯火の燃料になりました。大きな骨はさまざまな道具に加工し、地域によっては住居の建材にも使われました。

はっきりとした記録はあまり残されていませんが、有史以前から、世界のあちこちでクジラは人間たちに利用されてきたのです。

やがて人々は、流れ着いたクジラを利用するだけでなく、沿岸を回遊するクジラたちを積極的に捕獲するようになりました。

5千年くらい前のヨーロッパの遺跡では、手こぎのボートから銛を投げてクジラを捕る捕鯨の様子が、岩に刻まれた絵画（岩刻画）に描かれています。

産業としての捕鯨が発達したのは、日本では江戸時代の少し前（16世紀〜17世紀）でしたが、ヨーロッパでは大西洋に面したスペインのバスク地方で10世紀頃に始まったといわれています。

スペインのビスケー湾というところは、この当時、セミクジラが出産と子育てのために集まる場所だったのです。

バスクの人たちは、ビスケー湾沿岸でセミクジラの捕鯨をおこない、得られた鯨油や肉がおとなりのフランスに交易品として運ばれていました。中でもセミクジラの舌は貴重な品として珍重されていたようで、フランス国王に献上されたとする記録もあるほどです。

バスク人による捕鯨は大いに発展し、やがてビスケー湾沿岸のクジラを捕り尽くしてしまうと、クジラを求めて沖合まで進出していきました。

中世のヨーロッパでは捕鯨産業が発展した。スペイン・ビスケー湾や英仏海峡で盛んにおこなわれた。

一方、イギリスとフランスの間には、英仏海峡という海峡があり、ここにはネズミイルカというイルカがたくさんいます。

11世紀頃のイギリスでは、ここで食用と灯火の油用にイルカ漁が盛んにおこなわれました。

また、15世紀頃になると、このイルカの肉は首都ロンドンの街でも販売されていたようで、1450年の記録ではイルカ肉45キロが鮭12本と同じくらいの値段だったとされています。

今では驚きですが、イルカ肉は珍

味として英国王室の食卓でも人気で、この頃の王室の記録にはイルカ料理のメニューが残されているそうです。

欧米の人々が食べなくなった理由

このように、少なくとも中世の時代までは、ヨーロッパの人々もクジラやイルカの肉をとくにこだわりなく食べていたのですが、中世以降、次第に食べる習慣がなくなってきました。

これには2つの大きな理由があると考えられます。

1つ目は、クジラの肉よりも鯨油の需要が高まったためです。ヨーロッパでは中世以降、都市が発達していきました。人が集まって街が大きくなると工業が発達します。工業といっても、この頃はまだ電気も蒸気機関も発明されていないので、手作業による工業です。中でも皮革や羊毛の加工が盛んにおこなわれ、それには大量の洗剤が必要で、原料には鯨油が使われていました。

洗剤は植物の油からも作れるのですが、この時代は植物油の生産量が少なく、値段も鯨油より高かったのです。

人口の増加と産業の発達は、人々の暮らしも変えていきます。人々は、以前よりも夜ふかしをするようになったのです。

かつて農地を耕して暮らしていた頃は、人々は日が昇ると畑に出て、日が沈む前に仕事を終えて家に帰る日々だったのが、街ができて工業や商業が発達すると、夜になっても家や工場で仕事をする人が増えてきます。あるいは仕事を終えた男たちが、酒場に行って仲間たちと騒いでいたかもしれません。

夜に仕事をするにも、お酒を飲んで騒ぐにも、必要なのは部屋や手元を照らす明かりです。

灯火の燃料となる油は街の発達とともに需要がどんどん大きくなり、ここでも植物油より安く大量に得られる鯨油が使われたのです。

2つ目の理由は、外洋で獲れたクジラの肉を、新鮮なまま持ち帰ることができなかったからです。

産業としての捕鯨の始まりのところで、バスク人たちが沿岸のクジラを捕り尽くして沖合で捕鯨を始めたと書きました。それを可能にしたのが中世ヨーロッパにおける造船技術の発達です。

みなさん、世界史の年号を語呂合わせで覚えたことはありませんか？

コロンブスがアメリカ大陸にたどり着いたのは、15世紀の終わり「石の国（1492年）」、マゼランが世界一周を成功させたのが16世紀の初め、「一行がふうふう（1522年）」でしたね。

スペインやポルトガルに代表される当時のヨーロッパはまさに大航海時代で、捕鯨もまた大洋を渡るほどの大きな帆船を使って、クジラを求めて沿岸から外洋へ進出して行ったのです。

ただ、船は立派になりましたが……冷蔵庫はまだなかったのです！

沿岸でクジラを捕っていた頃と違い、はるか沖合で何カ月も航海してたくさんクジラを捕ることはできても、自分たちの港から遠すぎるため、新鮮な肉を持って帰ることはもうできなくなってしまいました。

当時、肉を貯蔵するには、塩漬けにして樽に詰める方法がありましたが、鮮度はそう長く持ちません。苦労してクジラをたくさん捕っても、長い航海で腐りかけた肉では、街に持ち帰ったところで誰も高値で買ってくれません。

しかし、鯨油は違いました。

何よりも街の人々は鯨油を必要としていたので、分厚い脂肪を樽詰めにして持ち帰り、油をしぼり取れば莫大な利益を上げることができたのです（のちには船上で油だけをしぼれるようになりました）。

ヨーロッパの捕鯨船は、捕獲したクジラから肉を持ち帰るのをやめて、鯨油を得ることに専念するようになりました。

かくして街の人々もやがてクジラを食べることを忘れ、クジラを食べ物だとすら思わなくなってしまいました。

彼らにとってクジラとは、灯火の油を供給する工業原料となっていったのです。

鯨油の争奪戦と、その終わり

鯨油の重要性は、18世紀から19世紀にかけて世界中の海で最もたくさんのクジラを捕ったアメリカにおいても同様でした。1章のマッコウクジラのお話のところで紹介した、『白鯨』の小説が書かれた時代です。

19世紀の初め頃には、鯨油は室内のランプだけでなく街灯や灯台の燃料にも広く使われたほか、ロウソクやインクの原料、機械油などさまざまな用途に使われました。

中でもマッコウクジラから得られる特殊な「脳油」と呼ばれる鯨油は、低温でも凍らない潤滑油として非常に貴重だったため、20世紀の半ば過ぎまで使われました。

そのため欧米の国々は鯨油を求め、争って捕鯨をおこないましたが、19世紀に入ると石油が利用されるようになり、次第に灯油としての鯨油の価値はなくなっていきました。

しかし、一方で、それまでの帆船や手こぎのボートからモリを投げて捕獲する方法に代わって、動力船に捕鯨砲を装備してクジラを捕獲する新しい方法（近代捕鯨）が発明されました。それによって捕らえるのが難しかった大型のシロナガスクジラやナガスクジラが容易に捕獲できるようになりました。

また、20世紀の初め、鯨油からマーガリンや固形石けんなどを作る方法が発見され、しかもその加工過程で「グリセリン」という物質が取り出せるようになりました。グリセリンは、薬品としても使われますが、ダイナマイトの材料にもなります。

このように、新しい捕鯨方法と新しい鯨油の利用法が生まれたことで、捕鯨は先進国を中心に、一気に世界中に拡大していきました（ただ、アメリカでは新しい捕鯨は根付きませんでした）。

また、南極海という、クジラが無尽蔵にいるとさえいわれた漁場が新たに開拓されたことも捕鯨の発展に拍車をかけました。

さらに20世紀には、第1次世界大戦（1914年〜1918年）と第2次世界大戦（1939年〜1945年）という、世界中を巻き込んだ大きな戦争が2回も起こりました。

戦争が起きると、農業や畜産業の生産が大きく落ち込んで食料となる油脂が不足し、鯨油の需要が大きくなります（欧米の人々はクジラの肉は食べませんでしたが、マーガリンという動物油脂の形でクジラを食べ物にしていたとは言えるでしょう）。

一方で、兵器の潤滑油としての脳油やダイナマイトの原料であるグリセリンの需要も大きくなります。捕鯨の発展は、戦争とも決して無縁ではなかったのです。

ヨーロッパの国々を中心に発達した捕鯨産業は、2度の戦争が終わったあと、農業や畜産業が回復して植物から得られる油脂が大量に供給されるようになると、ついにその役割を終えていきました。

日本人はなぜクジラを食べ続けたか

ここまで世界の捕鯨の歴史と、捕鯨の「本場」であった欧米でクジラを食べなくなった理由を駆け足でお話ししました。

ではなぜ、同じ理由で日本の捕鯨が変わっていかなかったのか、不思議に思われる人も多いでしょう。

昭和の時代には、日本もノルウェーやイギリス、ロシア（当時はソビエト連邦）などと争って南極海で捕鯨をおこなっていたはずです。でも、日本は鯨油だけではなく、食肉としてのクジラの利用を続けていました。この違いはどこにあるのでしょうか？

私は2つの大きな理由があると考えています。

1つは、江戸幕府の歴史的な政策による、捕鯨方法の違いです。

日本では、商業的な捕鯨は江戸時代に発達しました。当時の捕鯨は、クジラが来遊する地域で発達した「鯨組」と呼ばれる専門的な組織によって、沿岸でおこなわれていました。

鯨組は、小舟を繰り出してモリを投げて鯨を捕る人々だけでなく、納屋場と呼ばれる陸上の加工場で働く人々、山見と呼ばれる沿岸の高台から海を監視してクジラを発見し、幟などで舟に行動を指示をする人々、さらに船を修繕したり、みんなの食事を準備する人々などからなる大きな集団でした。

鯨組では、山見がクジラを発見すると、羽刺と呼ばれるモリ打ちを乗せた舟が多数漕ぎ出してクジラを捕り、岸まで運んできて解体して納屋場に運び入れるのですが、ここでは肉と皮だけでなく、内臓から骨に至るまで利用できるものはすべて加工しました。

もちろん鯨油も生産しましたが、当時の日本では魚から得られる油が豊富だったため、欧米ほどには灯火の油としての需要はなかったようで、むしろ水田にまいて害虫を駆除する農薬として重宝されていました。

さて、最初に〝歴史的な政策〟と書きましたが、捕鯨に関わる江戸時代に特徴的な大きな政策といえば何でしょうか？

それは「鎖国」です。

鎖国とは外国船の出入りを制限し、日本人の海外への渡航や入国を禁じた一連の政策を指します。幕末にアメリカのペリー艦隊（黒船）の来航をきっかけに開国するまで、その期間は200年以上にわたりました。

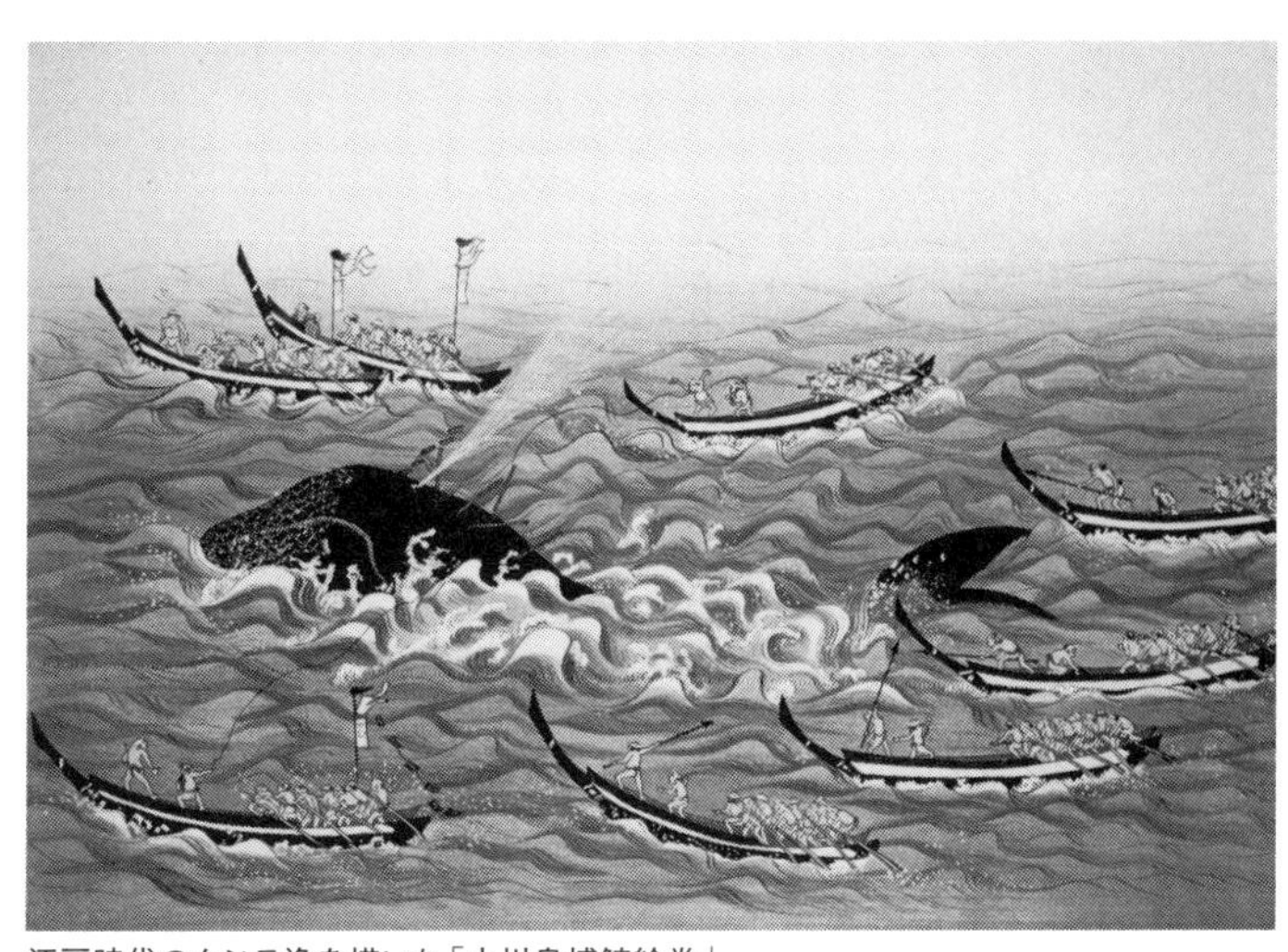

江戸時代のクジラ漁を描いた「小川島捕鯨絵巻」。

鎖国によって日本人の海外渡航が禁じられた結果、日本では長い間、欧米のように大海を渡る大型船の建造がおこなわれませんでした。

かつて、ヨーロッパのバスク人たちがビスケー湾で始めた捕鯨の話を思い出してください。彼らは沿岸でクジラを捕り尽くすと、大きな船を造って沖合で捕鯨を始めました。

けれども、鎖国によって沖合へ出られる船を建造できなかった日本は、この時代、ヨーロッパのような遠洋捕鯨が発達しなかったのです。

その結果、沿岸でクジラを捕って、皮

から骨まで完全に加工利用する捕鯨が長く続き、クジラ肉を食べる習慣もなくなりませんでした。

江戸時代の終わり頃には、クジラ肉の料理が日本料理の1つとして定着し、クジラ料理のレシピを何十種類も載せた専門書も作られたほどです。


2つ目の理由は、岡十郎という事業家の存在です。

日本で江戸時代から続いた捕鯨（古式捕鯨とも呼びます）が、捕鯨砲を積んだ船を使った新しい捕鯨（近代捕鯨と呼びます）に変わった当時、1899年（明治32年）に近代捕鯨法を用いる捕鯨会社が山口県に設立されました。

この会社は10年後には東洋捕鯨という大きな会社となり、日本だけでなく中国や朝鮮半島にもたくさんの捕鯨基地を作り、新しい捕鯨産業をけん引しました。

岡十郎はこの会社の創業者の一人でした。

彼は会社を設立するにあたり、まだ海外渡航が珍しい明治の時代に、近代捕鯨の先進国であるノルウェーまで行き、新しい捕鯨法をつぶさに観察して学びました。

そしてヨーロッパの捕鯨が鯨油しか生産せず、食肉として利用していないことにいちはやく気づいたのです。

彼は「ノルウェーの新しい捕鯨方法は素晴らしいが、日本には古くからクジラを食料として利用する習慣がある。我々がノルウェーで発明された新しい捕鯨を始めるにあたっては、彼らの手法を丸ごと日本に入れるのではなく、油も肉も利用する和洋折衷の新しい捕鯨を目指さなければならない」と考え、それを実践しました。

日本初の近代捕鯨会社を設立した実業家・岡十郎（写真：個人蔵〔萩博物館提供〕）。

歴史に「たられば」（もしも○○だったら）を言い出せばきりがないのですが、もしも日本に新しい捕鯨産業を創り出した岡十郎が、単にノルウェーの捕鯨法を丸ごと日本に取り入れ、鯨油の生産だけをしていたら、日本のクジラを食べる習慣はかつての欧米と同様にすたれていたのではないでしょうか。

戦後の食糧難を救ったクジラ肉

かくして日本のクジラ食文化は明治以降も守られたわけですが、日本中でクジラを食べるようになったのは、やはり戦争と関係があります。

昭和の時代になり、日本は第2次世界大戦（太平洋戦争）に負けたあと、国中で大変な食糧危機に見まわれました。緊急に食料を確保する必要があったのですが、戦争に勝った国々も、他国に食料を与える余裕はありません。

短期間に大量の食肉を確保する一番の方法が、南極海での捕鯨だったのです。

日本の捕鯨船は、戦時中に軍に強制的に取り上げられ、ほとんどが敵によって沈められてしまっていたのですが、戦後の日本をしばらく統治していたGHQ（連合国軍総司令部）の許可を得て、日本は国を挙げて捕鯨船団の再建に取り組み、敗戦の翌年には2つの捕鯨会社が南極海捕鯨の再開を実現しています。

戦後に再開された日本の捕鯨は、食料が不足していた国民にたくさんのクジラ肉を供給するようになり、年を追うごとに発展しました。

1960年代初めには3つの捕鯨会社が7つの捕鯨船団を南極海に送り込み、国内には大量のクジラ肉が流通していました。

牛肉が今よりもずっと高価だった時代に、クジラの肉は豚肉や鶏肉よりも安くてお腹いっぱいに食べられる肉だったのです。

学校の給食でもクジラは当たり前のように出され、中でも竜田揚げはとても人気がありました。私も小学校時代は、給食で出る大きな肉は必ずクジラだったことをよく覚えています。

また、この頃から魚肉ソーセージが食卓やおやつにもたくさん登場するようになりましたが、当時の魚肉ソーセージにはクジラ肉がふんだんに使われていました。

戦後の食糧不足を経験したことのある、みなさんのおじいさん・おばあさんの世代がクジラを食べ物としてなつかしがるのは、そんな経験があるからなのです。

現代の捕鯨とクジラ食事情

では日本中で食べていたはずのクジラの肉は今やどこに行ってしまったのでしょうか？

地域によってはスーパーマーケットや魚屋さんの店頭の片隅で売られているのを見かけるかもしれません。缶詰の「鯨の大和煮」も見かけますが、残念ながら今ではどちらも決して安いものではありません。

ほかの肉の値段と比べてみると、現在のクジラの肉は少し安い牛肉と同じくらいでしょうか。売っているお店も少なくなり、値段も安くないせいか、私たちはかつてに比べるとすっかりクジラ肉を食べなくなってしまいました。

1962年に24万トンが流通していたクジラ肉は、今では年間4千トンほどで、かつての60分の1ほどです。政府の統計によれば、日本人が年間に食べるクジラ肉は平均すると30グラムほどだそうです。ちなみに牛肉は6キロ、豚肉と鶏肉は12キロで、もはや比較にもなりません。

この落ち込みの理由は、日本が豊かになり、食生活が多様化したこともありますが、大きな転換点は、世界の捕鯨を管理する国際捕鯨委員会(IWC)が、1982年に商業的な捕鯨を一時停止する決定をしたことにあります。

第2章でも書きましたが、本来、捕鯨国だけで構成されていたIWCは、鯨油の利用価値がなくなって捕鯨をやめた国が大半となり、さらに最初から捕鯨に反対する国々が捕鯨をやめさせるために加盟するようになり、ついに商業捕鯨の停止を決めてしまったのです。

日本は1987年にこの決定を受け入れましたが、それ以降、国内に流通するクジラ肉は、調査捕鯨やIWCが規制しない小型のクジラから得られるものだけとなり、激減しました。

昔からクジラを食べていた世代は、私も含めてもはや高齢化しつつあります。一方で、捕鯨に反対する人々の「クジラを殺すな」という声が世界的に広がる中、若い世代の人々はあまりクジラを食べようと考えなくなってきました。

かつて、欧米の国々はクジラを「工業製品の原料」と考えたために食べ物と見なさなくなったわけですが、今や日本人でも若い世代では、クジラを「守るべき地球の生き物」と考え、食べ物と見なさない人々が増えてきているのです。

もう1つの捕鯨国ノルウェー

ところで、この章の最初でもお話ししましたが、捕鯨反対国がほとんどの欧米でも、いくつかの国はクジラを今でも食べています。中でもノルウェーは、日本と同じように国を挙げて捕鯨を推進していて、ノルウェー人は現在の日本人よりもたくさんクジラ肉を食べています。

ノルウェーは、エンジンで走る動力船に捕鯨砲を積んでクジラを捕る「近代捕鯨」を発明した国です。

じつはもともとノルウェーの捕鯨も、ほかのヨーロッパの国々と同じように鯨油をとることが目的だったため、南極海で盛んにおこなわれた大規模な商業捕鯨では、クジラ肉を持ち帰ることがありませんでした。

ノルウェーの捕鯨の様子。クジラ肉の消費量は日本より多い。

一方で、1920年頃からノルウェー沿岸で始まった小規模な捕鯨では、鯨油だけでなくクジラ肉も利用するようになり、次第にクジラを食べる習慣が国内に広まっていったそうです。

大昔からクジラを食べ続けてきた日本とは違い、ノルウェー人のクジラ食は比較的新しい習慣なのです。

そのせいか、ノルウェーの人たちのクジラの食べ方は日本人とは違って、生で食べることはなく、肉以外の部分(皮や内臓など)もまったく食べません。

ただ、生で食べない分、ノルウェーの

クジラ肉は時間をかけて熟成されています。私も現地で食べたことが何度かありますが、ステーキやシチューなどは、日本の同じメニューよりもずっと美味しく感じられました。

クジラを捕るのはいけないこと?

これまでお話したように、昔はたくさんの国が捕鯨をおこない、もっと昔は世界中のたくさんの人がクジラを食べていました。

ではなぜ、現代では捕鯨に反対する人々が多くなったのでしょうか。

鯨油の需要がなくなってしまい、多くの国が捕鯨をやめてしまったことは理由の1つです。そうした国の人々にとっては、捕鯨は時代遅れの産業と映るようになってきたことでしょう。

現在まで続く捕鯨反対の運動は、アメリカから始まったと考えられます。1960年代の後半から、アメリカを中心に環境保護運動が台頭してきました。当時、アメリカはベトナム戦争のさなかでした。長引く戦争に嫌気がさしたアメリカの若者たちの間では、物質的な豊かさを追い求めるよりも、自然と平和を大切にしようとする考え方が広がってきたのです。そして、とくにクジラは、アメリカをはじめとする先進国が、かつて争って乱獲したために今や絶滅の危機に瀕している野生動物として、にわかに地球環境保護のシンボルになっていきました。

さらに、アメリカ政府もこれを積極的に後押ししました。アメリカは1972年に世界に先駆けて「海産ほ乳類保護法」という法律を制定し、クジラを始めとする海産ほ乳類の捕獲や輸出入を禁止しました（ただしアラスカ先住民であるエスキモーの捕鯨は認めています）。

しかし、アメリカのクジラ保護活動は自国内だけにとどまりませんでした。国際連合の環境会議や国際捕鯨委員会（ＩＷＣ）で、世界中の商業捕鯨の一時停止を訴え、これをきっかけに欧米を中心に、いわゆる反捕鯨運動が急速に広がっていったのです。

反捕鯨国の加盟が急増したＩＷＣは、１９８２年に商業的な捕鯨の一時停止を決議しました。

まだこの当時、ＩＷＣでは日本やノルウェーだけでなく、スペインやブラジルなどいくつかの国々が捕鯨を続けていました。

しかし、それらの国は間もなく捕鯨をやめてしまい、現在ではクジラを食べる習慣が根付いている国だけが捕鯨を続けています。

クジラは絶滅の危機にある？

このように、世界中に広がった反捕鯨運動は、元々は地球環境を守ろうとする環境保護運動から始まったと考えられます。

では、クジラを守ることは本当に地球を守ることになるのでしょうか？

これはよく考えて見る必要がありそうです。

1970年代にクジラの保護が叫ばれたときに、多くの人々は「捕鯨による乱獲によってクジラは絶滅の危機にひんしている。クジラを救えずに地球を救うことなどできない！」との言葉に共感し、クジラを守ろうと行動を起こしました。

なるほど、確かに絶滅の危機にある動物を保護することはとても大事なことです。反対する人はいないでしょう。

けれども、保護すべきクジラとは、実際どのクジラのことを指しているのでしょうか？

第1章や第2章でも書きましたが、一口にクジラといっても、86種類以上が知られています。

その中には、確かに過去の乱獲によって激減したクジラも何種類かいます。シロナガスクジラ、セミクジラ、コククジラなどがそれにあたりますが、じつはこれらの種はみな、捕鯨反対運動が起きた1970年代よりずっと前に、保護種として捕獲禁止になっていました。

一方で、日本やノルウェーなど捕鯨国が最後まで捕獲していたミンククジラは、もともと捕鯨の対象になった時期も遅く、数もたくさんいたことから、当時のクジラ研究者たちも絶滅の危機にあるとは考えていませんでした。

つまり、86種類のクジラの中には、減ってしまったクジラの種もいる一方で、増えていたクジラの種もあるわけで、すべてをひっくるめて「絶滅の危機にひんしている」というのはかなり乱暴な意見と言わざるを得ません。

別の動物、鳥を例に挙げればわかりやすいのですが、トキやライチョウが絶滅の危機にあるからといって、カラスやドバトまで含めて「世界の鳥が絶滅の危機にある」とはふつう言いませんよね。

ただ、反省すべき点はあります。

本来、世界の捕鯨をきちんと管理すべき国際捕鯨委員会は、1970年代の初めまでクジラを種ごとに管理するという方法をとっておらず、「鯨油がどれだけとれるか」だけを基準に捕獲頭数を決めていました。

鯨油が1番たくさんとれるシロナガスクジラ1頭と同じ量を確保するために、2番目に大きなナガスクジラを「2頭」、イワシクジラを「6頭」などと数え、全体で鯨油を算出する「クジラ」を何頭捕獲するといった計算方法です（BWU：シロナガスクジラ換算と呼ばれていました）。

捕獲禁止にした種を除けば、まさに「クジラ」を区別なく全体で捕獲数を決めていたわけで、少なくとも当時における「クジラは絶滅の危機にひんしている」との考えはあながち間違いではなかったのです。

しかし、現代においては、クジラは種ごとのみならず、同じ種でも生息する海域や生まれ育った海域が異なれば遺伝学的にも差があるとして、その集団（系群）ごとに管理される時代となりました。

捕鯨国もまた、捕獲しようとするクジラの系群が捕鯨で根絶やしになったりしないよう、事前に十分な科学調査をおこなうのが常です。

現在、本当に絶滅の危機にある種は、コガシラネズミイルカ、シナウスイロイルカ、淡水に住むヨウスコウカワイルカ（こちらは最近本当に絶滅したとも言われています）など比較的狭い水域で暮らすイルカたちが多く、これらは捕鯨の対象種ではありません。

彼らが絶滅の危機にある理由は、ほかの漁をするときに意図されずに捕獲されてしまう混獲であったり、地域の開発のために生息域が失われたりするためです。今やクジラを絶滅の危機に追いやっているのは捕鯨ではありません。

ですからもし本当に絶滅の危機にひんするクジラを救おうとするのであれば、捕鯨をやめさせるよりもやらなければいけないことがあるはずなのです。

捕鯨は残酷な行為なのか？

捕鯨に反対する人たちの理由として、「捕鯨は残酷だから」とか、「野生動物を殺して食べる必要はない」などというものもあります。

現代の捕鯨（近代捕鯨）は、船に備え付けられた捕鯨砲から大きな鉄製のモリを撃ち、命中後にモリの先に取り付けられた爆薬が破裂してクジラを殺す仕組みになっています。

現代の捕鯨は船から鉄製の爆発モリを撃って捕らえる。

クジラが死ぬと、モリには太いロープが付いていますので、船に装備されたウインチを使って引き寄せ、そのまま船上で解体するか、捕鯨母船や陸上の基地に運んで解体します。

もし、モリが命中してもクジラが即死しなかった場合は、船に引き寄せたあとに大型のライフルや特殊な槍を使って止めをさします。

大きなクジラが巨大なモリを撃ち込まれて血まみれになって死ぬ姿を想像してみましょう。

クジラが即死しなければ、さらに血ま

みれのクジラが暴れることになります。確かにあまり気持ちのいいものではないでしょう。

じっさい、捕鯨に反対する人たちはこうした光景をビデオに収め、繰り返し世界に発信して、捕鯨は残酷だからやめようと呼びかけています。


でも、人間のために殺されている生き物はクジラだけでしょうか？


ふだんあまり気づくことがないのですが、私たち人間が生きていくうえで、世界でも、日本でも、信じられないくらいたくさんの生き物が殺されています。

毎日食卓に並ぶ魚のお刺身も、唐揚げも、すき焼きや生姜焼きの肉も、ハンバーグやベーコンも、もとは私たちと同じく血の通う生き物でした。

例えば、私たち日本人が毎日のように食べる豚肉は、政府の統計によれば、2018年の1年間だけで1639万1294頭が殺されて提供されました（しかもこの中には輸入される豚肉の分は含まれていません）。

私たちは多くの生き物の命を奪いながら生きている。

食べるための家畜ばかりではありません。

みなさんも、近年イノシシやシカが野山で増えすぎて農作物を荒らすために、全国でこれらの動物を減らそうとしていることはご存知かもしれません。

日本国内で1年間に害獣として殺されるシカは58万頭、イノシシは62万頭にもなります（2016年の統計）。

外国に目を向ければ、アメリカでは1年間で580万頭のシカが殺され（2017年の統計）、オーストラリアでは1年間で140万頭のカンガルーが殺された（2016年の統計）と記録されています。

え？　カンガルーがそんなにたくさん殺さ

れているの？　と驚くかもしれません。けれども、オーストラリアではカンガルーが増えすぎて、放置していると国土が砂漠化しかねないので、毎年計画的に数を間引く必要があり、殺したカンガルーの肉や皮は加工されて販売もされています。

こんな数字を見ていると、なんだか頭がくらくらして、人間がとても残酷な生き物のように感じてしまいますが、人間が生きていくためにはたくさんの動物の命を奪わざるを得ないのが現実なのです。

「動物福祉」から見た捕鯨

人間が動物を殺したり、ほかの目的で利用したりするときに、できるだけ動物を苦しませないように配慮することを、少し難しい言葉で「動物福祉」といいます。

動物福祉の考え方は、日本では「動物愛護」という言葉に置き換えられることが多いのですが、動物福祉はみなさんが家で飼うイヌやネコなどのペット（伴侶動物）からウシやブタのような家畜まで、さまざまな生き物たちに適用され、近年では法律にも定められるようになりました。

例えば、飼っている動物にきちんとエサや水を与えなかったり、狭いところに閉じ込めて運動させなかったりすることは、動物福祉に反します。

実験動物を使って研究をするときに、不必要に動物を苦しめたり、殺す必要があるときに正しい方法を用いなければ、動物福祉に反しているとしてその研究結果は認められません。

ではクジラに対しての動物福祉はどうでしょうか？

クジラは野生動物ですので、捕鯨はシカやイノシシの狩猟と同様と考えられます。その狩猟における動物福祉は、「できるだけ早く殺すように努める」というのが世界共通の考え方ですが、捕鯨で「クジラをいかに苦しまさずに殺すか」については、国際捕鯨委員会（ＩＷＣ）で60年以上前から話し合われてきた歴史があります。

このため、ＩＷＣでは「すべてのクジラに対し爆発モリを使用すること」などが規則として定められていて、クジラは殺す手段が国際的に定められている世界でも珍しい野生動物です。

その意味では、狩猟の世界では捕鯨が最も動物福祉に配慮されているといってもいいでしょう。

とはいえ、人間の心は、なかなか理屈だけでは説明できないのも事実です。ゴミ箱をあさるネズミが殺されて平気な人も、大きなクジラがモリで撃たれて殺される姿には耐えられないと感じるかもしれません。

ウシやブタだって、殺されるところを好んで見たい人はふつういないでしょう。でも家畜の肉は私たちの食卓には欠かせません。家畜を殺す場面をふだん人々に見せないのは、このような理由もあるのです。

何を残酷と考えるかは、人によって、対象となる動物によって、さまざまな違いがあります。

動物福祉という比較的世界に共通な基準を用いることは、その解決の糸口にはなりそうですが、実際にはネズミとクジラを同じ基準で考えられる人は少なく、なかなかうまくいかないのが現実です。

クジラは特別な生き物？

このように、同じクジラでも異なる種同士、あるいはほかの野生動物と比較する限り、捕鯨に反対する人たちの考えは、クジラが絶滅の危機にあるとか、捕鯨が残酷という理由だけではなさそうです。

また、捕鯨に反対する人たちのすべてが、娯楽として楽しむシカの狩猟に反対しているわけではありませんし、ブタやウシなど、ほかの生き物を殺して食べることに反対しているわけでもありません。

さまざまな動物を殺す産業の中で、捕鯨だけに反対する人たちの多くは、どうもクジラをほかの動物とは異なる「特別な生き物」と考えているようです。

「特別な生き物」とはどんな生き物でしょうか？

一言で説明するのは難しいのですが、例えば「人間と同じくらい頭がよくて、もしかしたら人間より崇高な精神を持った生き物」という考え方。

あるいは「人間が汚してしまった地球の海の環境と生き物を代表する野生動物」という考え方でしょうか。

海で遊ぶイルカたちや、広大な海を旅する巨大なクジラたちを想像すると、確かにそんな気もしてきます。

イルカやクジラが人間を超えた神のような存在、とまで考えるのはさすがに想像力が豊かすぎると言わざるを得ませんが、彼らがテレパシーや超能力を駆使して宇宙のどこかにいる知性体と精神的な交信している、さらにはそのことに気づ

イルカは宇宙と交信している聖なる生き物!?

いた選ばれた人々だけがその精神交流が可能になるのだ、と真面目に信じている人たちは少なからずいます。

「イルカたちは頭がいい（知能が高い）」という点については、捕鯨に賛成反対に関係なく、多くの人たちが感じているところでしょう。じっさい彼らにはそう考えさせる魅力がある、と私も思います。

私が以前に水族館に勤めていたころ、イルカの担当もしていたことがあるのですが、こんな経験があります。

イルカたちにエサをやり終えたところ、「青」という名前のイルカが、もっと欲しいのか、なかなか私の前から離れようとしません。

そこで空のバケツをのぞかせて、もうエサがないのだよと教えてやったところ、青はいったん私の前から去ってプールの中央に行き、そこに浮かんでいたボールを押して私に渡そうとするのです。

私はすごく驚きました。受け取ったボールをプールの中央まで投げ返すと、また青はボールを持ってくるのです。

なぜ私がそれほど驚いたのかといえば、その水族館ではイルカが退屈しないようにボールをプールに入れてはいたものの、よその水族館のイルカショーのように、「ボールを運ぶことでエサ（ごほうび）を与える」といった訓練は一切やっていなかったからです。

私にはそのとき、青がボールと引き換えにエサをもっとくれ、と要求しているようにしか思えませんでした。

では青は、人間と取引をするほどの「知性」があったと言えるのでしょうか？

残念ながら私はその方面（例えば動物行動学）の専門ではありませんので、未だに正しい答えは見つかっていません。

けれど、この一件だけをもって、イルカが高い知能や知性を持っていると断定はできないとも考えています。

ほかの動物、例えば遊び好きなイヌや、人の気持ちを敏感に察するといわれるウマなどでも、とくに訓練をしなくてもこのくらいの行動はするのではないかと思うからです。

同じように、イルカの知性のあかしとしてよく語られる話に、「独自の言語を持っている」「鏡を見て自己を認識できる（他者と自分を区別できる）」「互いに助け合う社会集団を作る」などがあります。

どれも科学的に証明された事実なのですが、問題は、ほかの動物でも同じことができる者たちがいる、ということです。

独自の言語という点では、例えばミツバチが、仲間たちに花の蜜のありかを独特の飛び方で教えることが知られていますし、シジュウカラという鳥の鳴き声には複雑な文法まであることが判明しています。

鏡を見て自分であることに気づく（鏡像認識といいます）実験は、さまざまな動物でもおこなわれていますが、カササギという鳥でも成功したそうです。

緊密な社会集団を作る動物は、多くのサルの仲間たちやオオカミなどでも知られています。

つまり、イルカは確かに頭がよくて社会的なコミュニケーション能力にも優れていますが、その才能は必ずしもイルカたちのみに特筆されるものではない、といったところです。

また、クジラやイルカが特別な生き物と考えられる理由の1つに、彼らが人間を傷つけない動物だ、と言われていることもあるようです。

海で泳いでいて、サメに襲われた話はいくらでもありますが、イルカに襲われた話はあまり聞きません。

シャチは、ほかのクジラやアザラシを襲って食べることが知られていますが、今のところ人を食べた話はないようです。

その点では、彼らが人にあまり害を与えない生き物だとは言えそうです。

ただ、前にも書きましたが、生き物の世界に「絶対」はありませんので、クジラは「絶対」に人を襲わないと頭から信じ込むのは危険です。

小さなボートでマッコウクジラを捕っていた時代には、暴れるクジラに船を沈められた話がいくつもあります。

また、ごくまれにですが、イルカを怒らせた人が殺されたという事例はありますし、親子のクジラに近づきすぎたりじゃまをしたりすれば、ほかの動物たち（人もそうですが）と同じく、母親は子どもを守るために猛然とじゃま者を排除しようとします。

捕鯨問題が解決できない理由

欧米のほとんどの国々が捕鯨に反対する中で、日本は捕鯨に賛成し、国際捕鯨委員会が1982年に捕鯨一時停止を決めたあとも、再開を目指して調査を続けてきました。

これは四方を海に囲まれた日本が、水産業から食料を確保するうえで、「資源の管理と利用は科学的情報に基づくべきで、クジラだけを特別扱いするのはおかしい」と考えているためです。

また、日本人の多くが捕鯨を支持しているのも事実で、その中には「外国から自分たちの利用する食べ物に文句を言われるのはおかしい」と考える人々も少なからずいます。

ヨーロッパの数少ない捕鯨国ノルウェーも同じような考え方で、クジラを捕って食べることは自国の権利であるとして、周囲の捕鯨反対国の批判をはねつけて国を挙げて捕鯨を守ろうとしています。

一方で、捕鯨に反対する人々にとっては、捕鯨国の行為は、地球の環境を破壊する残虐な行為であり、一部の人たちは「殺人に等しい」行為だとして激しく非難をします。

私は調査捕鯨に関わっていた頃、国際捕鯨委員会にも日本代表団の一員として何度か参加し、捕鯨に反対する人たちともあれこれと議論しました。

じつは私は英語があまり得意ではないのですが、幸いなことに日本代表団ともなると一流の通訳の方がそばにいるので、こちらも言いたいことを思いきり（日本語で）言うことができます。

少なくとも自分の専門分野で議論をする限り、たいていの批判には負けることなく反論することができたのですが、一方で、会議の場で、ただただ捕鯨がいかに残酷で野蛮な行為かをえんえんと演説する人たちには閉口したものです。

こうした人たちの話には必ずといっていいほど、クジラたちは「知能の高い」「美しい」生き物、といったフレーズがちりばめられていて、「ああ、やはりこの人もクジラを特別な生き物と思っているのだな」とわかっても、そもそも科学的な意見ではありませんので、反論したところで相手の考えは決して変わることはありません（むしろますます相手をヒートアップさせる結果になるでしょう）。

では捕鯨の問題は話し合いで解決しないのでしょうか？

捕鯨に反対する国々の中でも、とくに強く反対する国は、オーストラリアやニュージーランド、イギリスやドイツといった国々です。

日本はこれらの国々とは、外交や貿易だけでなく、文化の交流などでもとても親しく付き合っています。けれども捕鯨の問題だけは意見が一致しません。

捕鯨問題は、簡単に言いあらわせば、「クジラをほかの自然資源と同じく、食料の1つとして利用しようとする」側（日本やノルウェー）と、「クジラを決して殺してはならない特別な生き物と考える」側（多くの捕鯨反対国）の対立ということができます。

もちろんその中間、例えば遠洋での捕鯨は認めないが沿岸での小規模な捕鯨ならば認めるといった人々もいますが、どちらかといえば少数派です。

捕鯨に関する両者の対立が長らく続く背景には、捕鯨賛成と反対の双方が話し合いで決して妥協しないという事情があります。

話し合いで対立する問題を解決しようとすれば、どちらかが、あるいは両方が妥協する必要があります。

「君の希望はここまで譲るから、私の言い分もここまで認めてくれ」といったようなことです。

ふだん、ほかの問題の議論でも、互いに妥協するという考えは重要で、ものごとは何でもそうですが、どちらかに絶対決めなければいけないことばかりではないのです。

捕鯨賛成派にとっては、捕獲するクジラの種類や数を減らしたり、捕鯨をする海域を狭くしたりするという妥協ができるかもしれません。

しかし、困ったことに、捕鯨「絶対」反対派にとっては、少しでも相手に譲ることは、どんなに数が少なくてもクジラを殺すことを認めることになるので、どうにも妥協できないという事情があります。

これが捕鯨問題を難しくしている大きな理由の1つです。

国際捕鯨委員会でも、商業捕鯨の一時停止が決まってからこの30年の間に何度か互いの妥協を探る試みがあったのですが、結局うまく行きませんでした

国際捕鯨委員会（ＩＷＣ）を脱退

捕鯨賛成派と反対派が妥協することなく対立する状態が長年続く中、日本は２０１９年、とうとう国際捕鯨委員会（ＩＷＣ）を脱退し、独自に捕鯨をおこなう道を選びました。

日本は、もはや調査捕鯨で科学的なデータをどんなにたくさん示しても、ＩＷＣは商業捕鯨の一時停止を見直すことはない、と判断したのです。

ＩＷＣで規則を変更するためには加盟国の4分の3の賛成が必要なのですが、過半数を

占める捕鯨反対国の意見は変わる見込みがないからです。
商業捕鯨を再開するためほかに方法がなかったとはいえ、話し合いで解決できなかったのは残念なことでした。

私にとって一番残念だったのは、日本が商業捕鯨を再開するにあたって、長年おこなってきた調査捕鯨をやめ、南極海での捕鯨もしないと決めたことでした。日本は自国の排他的経済水域（ＥＥＺ）と呼ばれる範囲（陸からおよそ沖合３６０キロメートルまでの範囲）だけで商業捕鯨をおこなうと決めたのです。この範囲内での捕鯨は、ほかの捕鯨国であるノルウェーやアイスランドと同じです。

他国から批判が多かった南極海の調査捕鯨から撤退することで、今後は海外からの日本の捕鯨への風当たりは弱くなるかもしれません。

ＩＷＣ脱退により、新たに捕獲することになったクジラは、ミンククジラ、ニタリクジラ、イワシクジラの3種類。

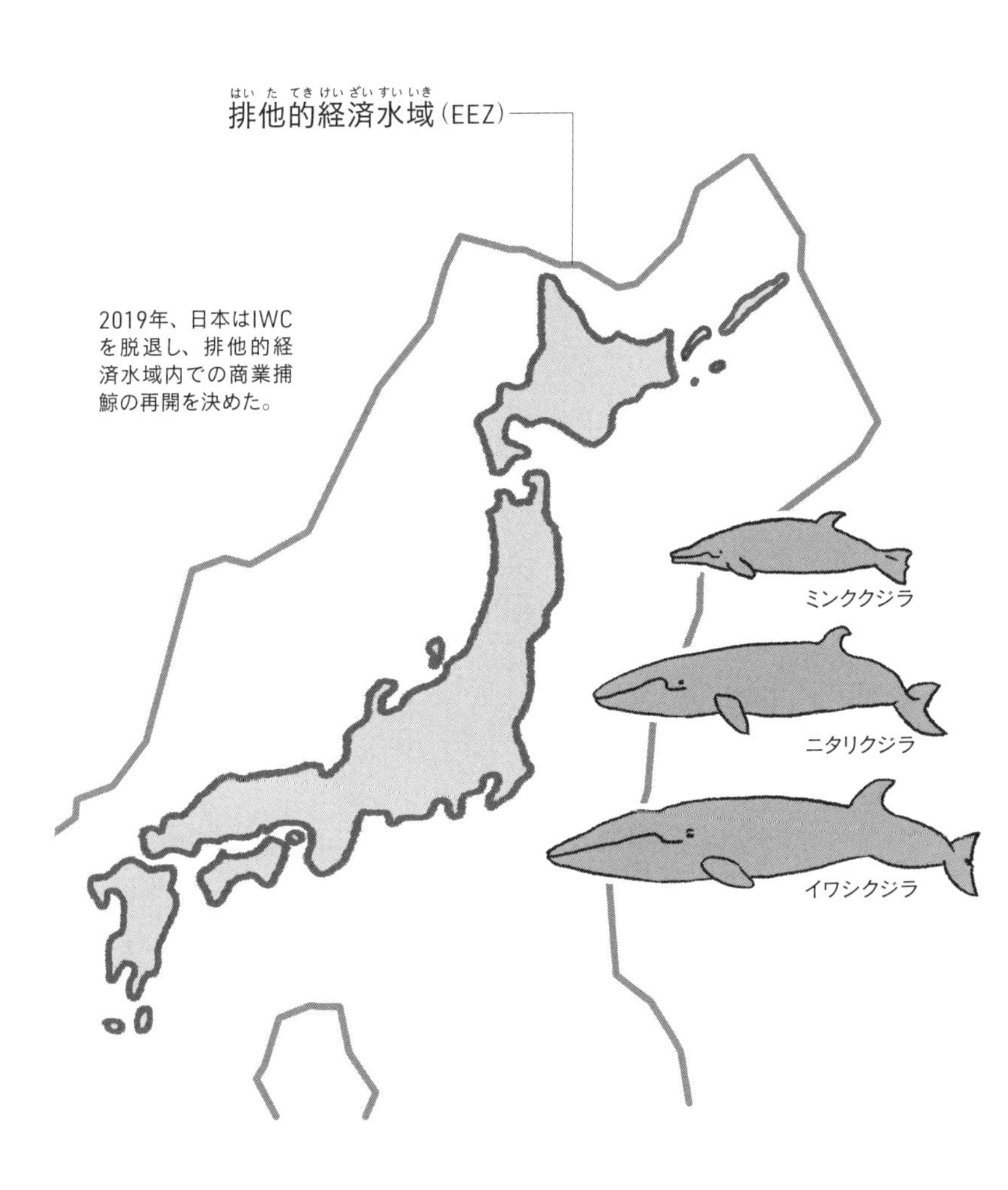
排他的経済水域（EEZ）
2019年、日本はIWCを脱退し、排他的経済水域内での商業捕鯨の再開を決めた。
ミンククジラ
ニタリクジラ
イワシクジラ

沿岸で日帰りの捕鯨をおこなう小型捕鯨業の人たちはミンククジラを、かつて私が乗船し南極海で調査捕鯨をおこなっていた捕鯨船団は沖合でニタリクジラやイワシクジラも捕獲します。

1987年に始まり30年以上、私を含めクジラに関わる多くの人たちの努力と夢の結晶であった調査捕鯨は、その成果をもって商業捕鯨を再開するという本来の目的は達成できなかったということになりますが、蓄積された膨大なデータと標本からは、これまでにも多くの科学的成果が生み出されました。

今後は捕鯨というカテゴリーにとらわれることなく、クジラだけでない海洋生態系の解明に向けて、世界中の研究者たちの手で、これらのデータを生かした新たな成果が生まれることを期待しています。

多様性を受け入れるということ

捕鯨に反対する人々は、はるばる南極海にまで船を繰り出して、日本の調査を力づくでも止めさせようとしました。

捕鯨問題を難しくしているもう1つの理由は、捕鯨に反対する人々が、単に反対の意見を示すだけなく、捕鯨賛成の人たちに暴力を使ってでもやめさせようとする点にあると言えるでしょう。

世界にはたくさんの国があり、民族があり、それぞれに独自の文化があります。

一方で、世界では「グローバル化」が進んでいると言われます。

グローバル化という言葉にはいろいろな意味がありますが、わかりやすい例をあげれば、マクドナルドのハンバーガーが世界のほとんどの国で売られていることもグローバル化の1つです。

コンビニエンスストアもそうですが、世界中で同じサービスが受けられるようになるのは便利である反面、便利さを追求するあまりにその国に固有の生活や文化が失われる要因にもなり、グローバル化には一長一短があるともいえるでしょう。

それゆえ、現代の多くの人々には、グローバル化社会が進む中で、国や民族のさまざまな文化の違い、すなわち「多様性」を大切にしようという考えが広がりつつあります。


国や民族による文化や生活の違いは、食べるものによくあらわれます。

インドでは、ヒンズー教の人たちがたくさんいて、ヒンズー教では、ウシが神さまのお使いとしてとても大切にされています。それゆえ、ほとんどのインドの人たちはウシを殺したり食べたりすることはしません。

けれども、彼らは、例えばアメリカ人に向かって牛肉のステーキやハンバーガーを食べるなとは決して言いません。

なぜならば、自分たちの宗教や食習慣が他国の人と違うとわかっているからです。


同じように、イスラム教の人たちは、ブタ肉やブタを使った一切の料理を食べません。

これはウシを神聖な動物とするヒンズー教とは全く違う理由からなのですが、やはりイスラム教の人たちはキリスト教の人たちに向かってブタを食べるなとは言いません。ブタを食べないのはイスラム教の決まりごとで、キリスト教にはその決まりがないことを知っているからです。

逆に、ほかの宗教の人たちが多い国でイスラム教の人が暮らすようなときには、周囲の人々はイスラム教の人に対して「この国ではブタを食べろ」などとは言いません。

けれども、イスラム教の人たちがよその宗教の国でその決まりを厳しく守ろうとすると、料理の材料、例えばカップラーメンのスープでもブタ肉のエキスが使われていたりすることがあるので、毎日の食事にはかなり気をつける必要があります。

最近では日本でも、海外からの留学生が多い大学の食堂などで、イスラム教の人たちがブタを使わない食事（ハラルと呼びます）ができるように、特別なメニューを増やすなどさまざまな配慮をするようになってきました。

多様性を受け入れるとはそういうことでもあるのです。

クジラを食べる習慣も、捕鯨国に固有の食文化と考えられるはずです。

しかしなぜか、近年広く受け入れられているはずの、この文化の多様性を尊重するという考え方からクジラだけはすっぽりと抜け落ちているかのようで、クジラ食を多様性の1つとして受け入れようとしない人々が多いのが現実です。

捕鯨国の人々が、捕鯨に反対する人々にクジラを食べろと強制することは決してありません。

捕鯨に反対する人々にも、日本人やノルウェー人が捕鯨をおこない、クジラを食べることを、ヒンズー教やイスラム教の食習慣と同じく多様性の1つとして受け入れてもらえることができたら、きっと捕鯨問題もここまでこじれることはなかったのではないかと思います。

事実は1つでも、真実や正義はさまざま

じつは私自身、こんな考えを持つようになったのはわりと最近のことです。南極海で調査捕鯨をやっていた頃は、暴力を使ってでも調査をじゃましようとするやつらは憎い敵でしかありませんでした。意見の違いを暴力でしか表せないのであれば、それはテロリストと呼ばれても仕方ありません。

あるとき、環境保護団体の船が私たちの調査船に激しく衝突しました。相手の船も沈みかねない衝突だったので、このときはどうもわざとではなかったようなのですが、あきらかに相手の船からぶつけたにもかかわらず、彼らはいち早く「日本の捕鯨船が体当たりしてきた」と世界中に発信しました。

南極海では、自分と相手以外に目撃者はいませんし、事故現場を調べてくれる警察もいません。

第三者の目がない南極海のようなところで起きた事件は、どちらか一方の話でも、いかに早く、いかに多くのマスコミに報道されたかで、世間の人たちはそれが正しいと思うようになるものです。

現場にいたもう一方の我々が、あとからこれが真実だと語っても手遅れの場合もあるのです。

この一件では、船同士が衝突したという「事実」は1つだけでも、どちらがぶつけたと主張する「真実」は、それぞれに全く違うものが存在するのだ、と思い知らされました。

同時に、「真実」は「正義」という言葉に置き換えることもできるのではないかと気づきました。

私たちに、調査の科学的データで捕鯨を再開させる、という正義があるように、彼らにも、野蛮な捕鯨は力づくでも止めさせなければならない、という正義があるのです。

それ以来、世の中には事実は1つでも、そこから生まれる真実や正義は、立場が違えばまったく異なるものがたくさんあるのだということを考えるようになりました。

私は、立場の異なる人がそれぞれの真実、それぞれの正義を持つことを悪いことだとは思っていません。

宗教や文化、政治体制が異なる世界中の人々が、唯一無二の真実や正義を持つほうが、むしろ不自然だろうとすら思います。

私自身も、もしかしたら他人とは異なるかもしれませんが、自分の信じる正義を持っているつもりです。

ただ厄介なのは、世の中にはそれを他人に押し付けなければ気がすまないという人々がいるということで、捕鯨問題がまさにそれを象徴する1つの例でしょう。

そしてそのような例は決して捕鯨問題だけではないのではないでしょうか。

世界のあちこちで今も起きているさまざまな争いごとの多くは、おのおのの真実や正義の違いを、話し合いではなく力で解決しようとするから止むことがないのだと思います。

けれども自分たちの正義を押し付けるため、あるいは正義を守るために戦争が始まると、正義などよりも平和に暮らしたいことだけを願うたくさんの人たちが、家族や、友人や、住む家を失い不幸になります。

争いの結果は、幸せになる人たちよりも不幸せになる人たちがはるかに多いということがわかっているはずなのに、自分の正義だけを信じ、それを押しつける人たちは争いを止められないのです。

そんな大変な問題に比べれば、捕鯨は小さな問題に過ぎないかもしれません。けれども、文化や宗教の違い、あるいはそれぞれの真実・正義の違いという多様性を受け入れようとする考え方がもっと広がれば、捕鯨の問題を解決できるだけでなく、もしかしたら世界の争いごとも、例えなくすことはできなくても、減らすことくらいできるのではないかと思うのです。

おわりに

――第2章の続きとして――

水族館の獣医師から始まった私の仕事は、次に南極海での調査捕鯨になり、船での暮らしが長く続きました。

船に乗らないときは国際捕鯨委員会に提出する論文を書いたり、学会で研究発表をしたりして忙しい日々を過ごしました。

けれども自分にとって14回目の調査航海を終えた頃、だんだんまた新しいことを始めたいという気持ちが強くなり、2012年には22年勤めた日本鯨類研究所をやめて、山口県下関市に新設された鯨類研究室の室長という仕事に就きました。

当時の下関市長が、かつて捕鯨でにぎわっていた下関の街をクジラというキーワードで再び活性化しようと考え、たまたま職を探していた私の希望を受け入れてくれたのです。

新しい職場では、それまで船に乗ってばかりいた仕事から一転して、ほとんど毎日小さな研究室にこもって過ごしました。

たまに県の調査船や地元の大学の船に乗せてもらい、近くの海でクジラ調査をおこなうほかは、あちこちから集めた資料を読み、地域のクジラの分布や、人々とクジラの関りについて論文を書き、研究報告書を編集して毎年発行しました。

また、研究室の方針として教育普及活動も大切だったので、市民を対象にしたクジラの勉強会「鯨塾」や、小学校などでの出張授業を何年も続けました。


仕事を何回も変えたのは、たぶん自分の癖なのでしょう。

昔から私は人生が1回しかないのが不満でした。そしてどうせ1回しかないのなら、その1回のうちにいろいろな仕事を経験して、いろいろなところで暮らしてみたい、いろいろな人生を経験したい、と漠然と考えているのです。

ちょっとかっこつけすぎかもしれませんが、人生は一生が冒険でありたい、いつも新しいことを目指したい、というのが私の望みです。

ただそれは必ずしもいいことばかりではありません。

世の中には、1つのことを一生かけて続け、その道の第一人者になる立派な人もいます。

会社勤めの人だって、学校を卒業して入社してから定年まで勤めあげれば、それなりの責任ある役職、もしかしたら社長にまでなれるかもしれません。

私の場合、特別な才能があるわけでもないのに、最後まで勤めることをせずに仕事を変えてしまうので、どれも中途半端だといえばその通りでしょう。

自分はいったい何になりたくて、何をすれば人生に満足が行くのだろうかというのは、若い頃からずっとずっと持ち続けている自分に対する疑問でもあります。

けれども不思議なことに、そんなふらふらしているような人生でも、いつの間にやら、かつての夢をかなえていたりもします。

じつは中学生の頃、船乗りになることに激しくあこがれた時期がありました。

大海原を船で渡り、外国の港を転々とする船員になりたかったのです。けれども当時、東京と神戸にあった商船大学の航海科には、目がよくないと入れませんでした。

中学3年で急激に視力が低下したときに、船乗りになることはあきらめたのですが、今度は医者になり、船医として船に乗り込もうなどと考えたこともありました（残念ながら成績のほうがついていきませんでしたが）。

社会人になってからはそんなことなどすっかり忘れていたのですが、調査捕鯨の仕事に明け暮れていた40代の頃、突然そのことを思い出し、自分がほぼ「船乗り」の暮らしをしていることに気づきました。

そういえば人間の医者にこそならなかったけれど、動物の医者にはなっています。いつの間にか中学生の頃の夢が、それなりにですがかなえられていたわけで、その偶然にはびっくりしました。

また、第2章で私は、水族館から日本鯨類研究所に転職するときに、「学者というよりは〝物知り〟になりたかった」と書きました。

日本鯨類研究所では調査捕鯨の仕事にてんてこ舞いでしたが、次の職場では、それまでよく知らなかった捕鯨の歴史やクジラの食文化などについて、じっくり勉強をすることができました。

クジラの生物学や捕鯨問題などについては、それまでの経験である程度は知っていましたから、加えて歴史や文化の知識を得たことで、少なくともクジラに関しては、専門的な研究分野はさておき、人々にも幅広く講話ができるくらいの〝物知り〟にはなれたように思います。

なにぶんにも凡人の才能と怠け者の性格ゆえ、どの分野でも世間から注目されるほどのたいした業績は挙げられませんでしたが、少なくとも人生の冒険というこれまでの生き方については、まったく後悔はありません。

ところで、このあとがきを書いている今の私はまた新しい仕事に就いています。60歳になったときに、下関の研究室が閉鎖されてしまったという事情もあるのですが、またまた転職です。

今度は、和歌山県にあるイルカ飼育施設で獣医師の仕事をしています。

水族館の獣医師→調査捕鯨船団の調査団長→研究室勤務のクジラの物知り→イルカの獣医師と、なんだか1周回って元の位置、みたいな人生ですが、なにぶんにも以前に水族館の獣医師をやっていたのは30年以上前の話で、獣医学の世界は知識も技術もこの間に格段に進歩しており、もはや昔の経験などほとんど役に立ちません。

しかも当時とて決して優秀な獣医師ではなかった私は、まさに「六十の手習い」状態で、自分よりずっと若い獣医師の先生の下で、新人として一から勉強し直しです。

正直なところ、心意気はさておき、長年研究室にこもってばかりいた60歳のなまった体は、イルカたちを相手にする現場の仕事に悲鳴を上げる毎日です。

けれども、若いイルカトレーナーたちと一緒に海水まみれになって過ごす、今までとはがらりと変わった仕事は、毎日刺激に満ちていてとても充実しています。この先がどうなるかはまだまだわかりませんが、それだからこそ「人生は冒険」と言えるのだと確信しています。

本書の執筆にあたっては、旬報社企画編集部の熊谷満さんに大変お世話になりました。熊谷さんから本書を書くことをおすすめいただいたのはずいぶん前だったのですが、忙しさにかまけているうちにどんどん時ばかりが過ぎてしまいました。気長に原稿を待っていただいた熊谷さん及び編集部の皆様には感謝の言葉しかありません。また、原稿を途中で放り出していた自分を常にはげましてくれた妻にも感謝です。

当初は南極海の調査捕鯨から捕鯨問題を中心に書くつもりだったのが、気がつけば日本は国際捕鯨委員会から脱退してしまい、南極海の調査捕鯨をやめて近海で商業捕鯨を始めています。

その意味ではもはやかつての捕鯨問題の話は旬を過ぎているのかもしれません。けれども激しい議論が続いた捕鯨に長年関わった私の目からは、今、世界で起きているさまざまな争いごとも、対立が続き解決できなかった捕鯨問題と共通した問題を抱えているように見えてしかたありません。

クジラの話、捕鯨の話、おまけにふらふらと人生を生きてきた私の話を、みなさんが少しでも面白いと思い、またクジラをきっかけにみなさんが世界のさまざまな問題にも目を向けていただければ、私の本望です。

石川 創

石川 創（いしかわ・はじめ）

1960年生まれ。獣医師。日本獣医畜産大学（現 日本獣医生命科学大学）獣医学科修士課程修了。水族館勤務を経て、日本鯨類研究所で長年にわたって調査捕鯨にたずさわり、調査団長をつとめる。南極海への調査捕鯨航海は14回を数える。その後、山口県下関市の下関鯨類研究室室長を経て、現在は和歌山県のイルカ飼育施設に獣医師として勤務。著書に『鯨は海の資源か神獣か』（NHK出版）。

本文イラスト・写真

岡本かな子（p.014, p.018, p.023, p.030, p.034, p.041, p.047, p.052, p.063, p.067, p.082, p.089, p.098, p.101, p.126, p.130, p.161, p.167, p.179）

（一財）日本鯨類研究所（口絵, p.014, p.016, p.022, p.032, p.038, p.053, p.056, p.062, p.063, p.069, p.094, p.098, p.105, p.107, p.113, p.141, p.150, p.159）

クジラをめぐる冒険

ナゾだらけの生態から対立する捕鯨問題まで

2020年11月15日　初版第1刷発行

著者……石川 創

ブックデザイン……宮脇宗平

編集担当……熊谷 満

発行者……木内洋育

発行所……株式会社旬報社

〒162-0041

東京都新宿区早稲田鶴巻町544　中川ビル4F

TEL.：03-5579-8973　FAX：03-5579-8975

HP：http://www.junposha.com/

印刷製本……中央精版印刷株式会社

ISBN978-4-8451-1658-4